北欧テイストのリノベーション

はじめに

既存の、お仕着せのものに満足せず、
中古マンションや中古住宅の中で
自分仕様の間取りや内装をつくる。
それが、リノベーションです。

リノベーションという考え方が広まった当初は、
デザインへのこだわりの強いクリエーターや、
自由で思いきった選択ができる単身者など、
一部の人に限られた選択で、
〝とんがった〟デザインが注目されました。

でも、とんがった家にしたいわけではないけれど、
自分や家族に合った使いやすい間取りや、
見て触って心地いいと感じる素材を取り入れた住まいが欲しい。
そんな、ある意味あたり前の気持ちから
リノベーションに注目する人が、最近増加中です。

なかでも、北欧テイストのリノベーションは、
多くの人に受け入れられ、人気があります。
清潔感があり、木のぬくもりや、やさしさが感じられ、
そして、シンプルかつロングライフなデザイン。
ふところの深い北欧テイストは
自分たちだけの住まいを新しくつくるとなったとき、
多くの人を魅了するようです。

これから登場するのは、
リノベーションでつくった「北欧テイスト」の住まい。
特別に北欧を意識していないとの声も多かったですが、
お話をうかがってみれば、それぞれに北欧テイストに影響を受け、
北欧を感じさせるエッセンスが、そこここに見つかりました。
現代の日本の暮らしに、
北欧テイストは自然にフィットするということかもしれません。

本書を通じて多くの方に新たな空間づくりの楽しさが伝わり、
暮らしづくりのヒントになれば幸いです。

北欧テイストのつくり方

〝北欧テイスト〟といったときに想像するのは、どんな空間でしょうか？
シンプルで清潔感があり、木の質感や光にあふれる。
そして、ロングライフなデザインが多い。
こんな空間が多くの人の共通イメージであり、
それが北欧テイストの人気のゆえんのようです。
北欧テイストな空間をつくるために必要な要素を集めてみました。

1 気持ちを穏やかにしてくれる自然光

日照時間の短い冬が長く、自然環境が厳しい北欧の地。だからこそ自然の光を大切にしようという気持ちを強くもっている土地柄のようです。光に癒され、心が穏やかになるのは多くの日本人にも共通する部分。気持ちのいい自然光をたくさん取り入れられる間取り、光の美しさが映える塗り壁やファブリックなど、光の気持ちよさに留意すると、北欧テイストが身近になります。

2
自然を感じる、リラックスできる色

北欧の住まいでは、カラフルできれいな〝色〟をあちこちに発見できます。決して奇抜ではなく、自然のどこかにありそうなやさしい色合いは新鮮で、かつ日本人の目にもリラックスできる雰囲気をかもし出します。大空間のすべてではなく、一面だけ壁をペイントしたり、椅子ひとつやファブリック1枚で色を取り入れたりするだけでも、北欧テイストの心地よさが生まれます。

3
白が生きた、シンプルですっきりした空間

日本人が北欧テイストにひかれるのは、その空間のシンプルさに魅力を感じることが大きな理由のひとつです。わびさびの簡素さを愛でる日本人本来の美的センスに通じるものがあるからかもしれません。デコラティブで重厚なものは日本の広さの限られた空間に合わせにくいものですが、白壁の清潔感を生かし、すっきり&シンプルにすることは日本の暮らしにもよく合います。

4 ほっこりした気持ちになる自然素材

海、森などの自然が近いせいか、インテリアや家具、雑貨に自然素材を取り入れることの多い北欧。自然の厳しさを深く知っている分、自然のもたらす恩恵にも敏感で、暮らしのなかで感じようとする傾向があるのかもしれません。自然素材の質感を意識して、無垢の床や家具、かご、雑貨などをセレクトするとナチュラルさがかもし出され、ぬくもりある心地よい空間になります。

5 おおらかで、のびやかな柄&色のテキスタイル

そのデザインに魅了されて、北欧に注目するようになったとの声も聞くほど、印象が強い北欧のテキスタイル。自然からインスピレーションを得てデザインされたものが多数あり、それが普遍的な魅力を生み出しているようです。おおらかさ、のびやかさを感じるのが北欧テキスタイルらしさ。クッション、ファブリックパネルなど、小さなところから取り入れるだけでOKです。

6

北欧デザイナーによる、長く愛せる家具&雑貨

デザインが優れているだけでなく、実用、機能面も追求されている北欧デザイナーによる家具や雑貨。〝普段づかいの日用品こそ、美しく〟というデザイン精神を感じます。何十年も変わらず作りつづけられ、愛されているロングセラーは、暮らしを豊かに楽しくしてくれるアイテム。空間や食卓のアクセントとしても、北欧テイストを盛り上げてくれる存在になってくれます。

7

照明がもたらす陰影やくつろぎ感

冬が長い北欧では、夜の暗い時間も豊かに過ごせるよう、照明を工夫してきたという歴史があります。全体を蛍光灯で明るく、フラットに照らすのではなく、間接照明を使って陰影のある空間に。ぐっとくつろぎ感が増し、リラックスできます。リノベーションは、そんな照明計画に思いっきりこだわることのできる、絶好のタイミングです。

PART 1

丸ごとのリノベーション

既存の内装をすべて取り壊してスケルトンにするなど、
空間をほぼ作り直し、丸ごとリノベーションをした住まい。
リノベーションの本領が発揮される方法ともいえます。
自分たちの暮らしに合わせて一からつくり上げた空間での
オリジナリティある暮らしぶりを訪ねました。

パン教室のときに生徒さんが食事をする場所になるので、ダイニングスペースは広めに確保。左側の袖壁はマンションの躯体で完全に取り払うことができず、ゆるやかにリビングと仕切るプランになりました。

壁は珪藻土塗りに。予算の関係であきらめることも考えたそうですが、最終的には思いきって選択。「内装工事後に特有なイヤなにおいもしませんでしたし、湿気もおだやかな気がします」。

床は幅広のオークの無垢材。「指定したものとは違う材が届いたんです。『それでいい』という私の一言を期待されていることを感じたのですが、これはゆずれませんでした」。

Case 01

熊崎さん宅

上質な素材とていねいな仕上げで、北欧テイストの似合うシンプル空間に

キッチンと玄関をつなぐ、眺めて美しいデザインのドア。この空間に合わせて「FILE」につくってもらったオリジナルです。テーマカラーであるグレーを選び、空間を引き締める存在に。

After

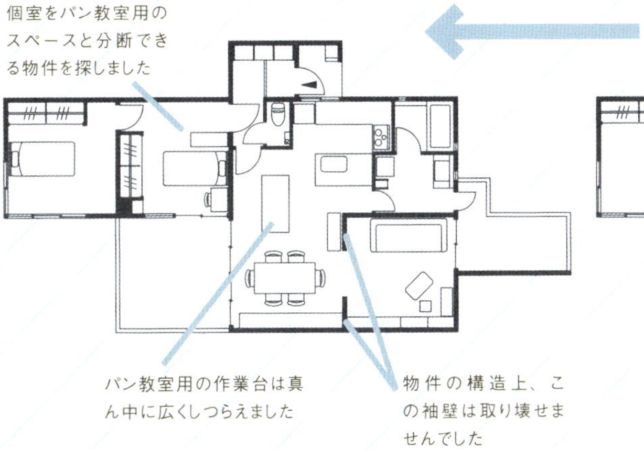
個室をパン教室用のスペースと分断できる物件を探しました
パン教室用の作業台は真ん中に広くしつらえました
物件の構造上、この袖壁は取り壊せませんでした

Before

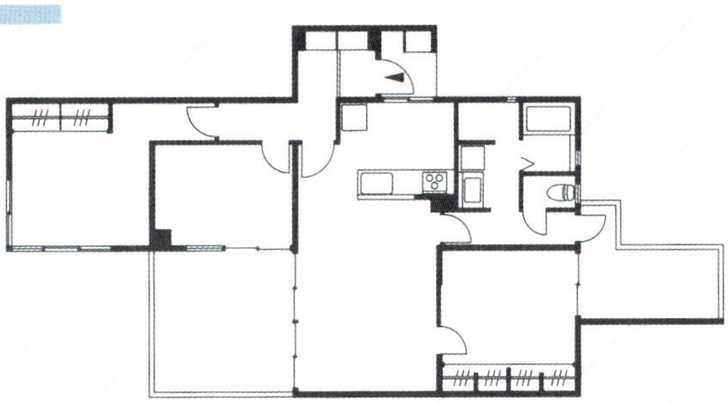

Data

設計：FILE（ファイル）
施工：FILE（ファイル）
築年：築43年（集合住宅）
竣工：2012年4月
専有面積：80㎡

家族構成：2人暮らし（夫45歳・妻45歳）
設計期間：1.5ヶ月
施工期間：1.5ヶ月
工事費：約1400万円（設計料込み）

壁、床を一部残し、フルリノベーション。床暖房も設置。キッチンはオリジナルのフルオーダー。リビングの本棚、ダイニングのキャビネットも工事費に含む。

Before

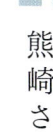

この住まいの主役ともいうべきキッチン。パン教室で使いやすいようにコの字型に。壁に貼ったモザイクタイルはグレーを選んだおかげで、甘くなりすぎず、シックなたたずまいに。「モダンかつニュートラルな色なので、グレーが好きです。大好きな黄色とも相性がいいんです」。

Q 中古マンションに抵抗はなかった？

不安はあったのですが、これ以上魅力的な物件に出会えませんでした。設計を担当した建築事務所に問い合わせたところ、この建物に誇りをもっていることを感じ、安心材料になりました。

熊崎さんは自宅でパン教室を主宰している料理研究家。教室をすることが大前提なので、どんな間取りであれ、リノベーションは必須事項でした。そして購入を決めたのは、建築業界では知られたヴィンテージマンション。残念ながらリフォーム済みではありましたが、テイストも好みではなかったので、改めて全面的にリノベーションをすることに。

当初は、建築家との間で打ち合わせを進めていたのですが、着工寸前に破談に。「建築家主導で話が進み、そりが合わなくなってしまい……。4ヶ月が経過していましたが、思いきって決断しました」。そして、依頼したのがオリジナルキッチンに定評のある「FILE」。友人宅のリノベーションを見て、センスを信頼していたのと、以前住んでいたマンションの明け渡し日が迫るなか、短い期間で対応してもらえることが決め手になりました。

「好きな家具や雑貨を置いたときにパーフェクトになればいいので、空間はフラットなテイストになることを心がけました」。内装がシンプルな分、オーク材の床、珪藻土の壁など上質な素材にこだわり、キッチンは料理教室がしやすい形にフルオーダー。最初の依頼先とうまくいかず、白紙に戻すという苦い経験もしましたが、最終的には熊崎さんのセンスが生きたすてきな空間が完成しました。

キッチンの収納扉はすべて白にし、天板と壁のタイルはグレーを選択。飾っている雑貨や焼き上がるパン、そして暮らす人をひきたててくれるシンプルさが魅力。

本棚の向かいにソファを配置。ひとりがけのソファは日本の古いものですが、「ミナ・ペルホネン」のファブリックでカバーリング。右奥のライティングデスクは北欧のもの。

料理本コレクターとしても有名な熊崎さん。リビングの本棚はほぼすべて料理本です。大容量の本棚をつくることも、このリノベーションの命題のひとつでした。

洗面所のタイルもキッチンと同じくグレーのモザイクタイルを採用。木製フレームの鏡のおかげでぬくもり感がプラスされました。シンク部分だけ、元々付いていたものを活用。

Q 後悔していることはありますか？

インテリアに関しては女性が中心になって窓口になることも多いと思うのですが、もっと夫を巻き込めばよかったと思っています。夫のほうが交渉上手な面があるので。

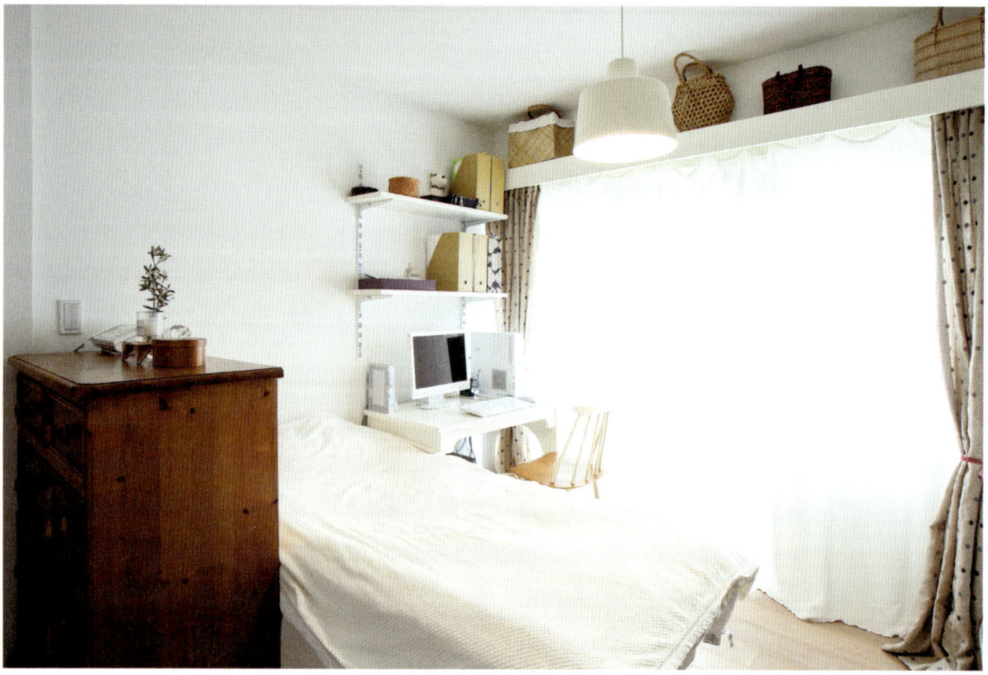

個室は妻と夫、1室ずつ確保。こちらは熊崎さんの部屋です。圧迫感が出てしまうので壁はなしにし、夫の部屋へはここを通って入ります。

Q 北欧テイストは意識した？

元々北欧のもの、とくに素朴なタイプの雑貨や器が好きで、たくさん持っています。内装自体を北欧テイストにするというより、そういう雑貨が似合う空間になるよう意識しました。

「カーテンボックスが好きなんでつくってもらいました」と熊崎さん。右がリビング、左が寝室の様子です。本を収納したり、雑貨を飾ったりするコーナーに。人がぶら下がっても大丈夫な強度になっているのだとか。

食器棚には北欧の器がいくつも。黄色い器は「イッタラ」のティーマシリーズ。食器棚は15年ほど前に「FILE」の前身である「グリーンゲイブルス」で購入したもの。

ダイニングの椅子にしているのは、ボーエ・モーエンセンがデザインしたもの。デンマークの家具のなかでは素朴さを感じるものなので、熊崎さんらしいセレクト。

熊崎さん宅の北欧エッセンス

右：「ダンスク」の鍋はかわいいだけでなく、使いやすいので重宝しているそう。「持ち手の形が手になじみます」。これもやっぱり大好きな黄色を選んでいます。上：玄関には北欧のヴィンテージのミニ棚を設置してもらいました。ドアから入ったときに真っ先に目に留まる場所なので、印象に残ります。

たくさん持っている器のなかでもお気に入りを見せてもらいました。黄色と水色のものを選ぶことが多いそう。「グスタフスベリ」のヴィンテージ品などを愛用。

ダイニングと寝室の間にある壁に取り付けた窓は、Mさんが希望したもの。長野にある大好きなカフェ「haluta」からヒントをもらったそう。空間の主役的アクセントになっています。

Mさん宅

空間をつくるという昔からの夢を、ワクワク楽しみながら叶えた住まい

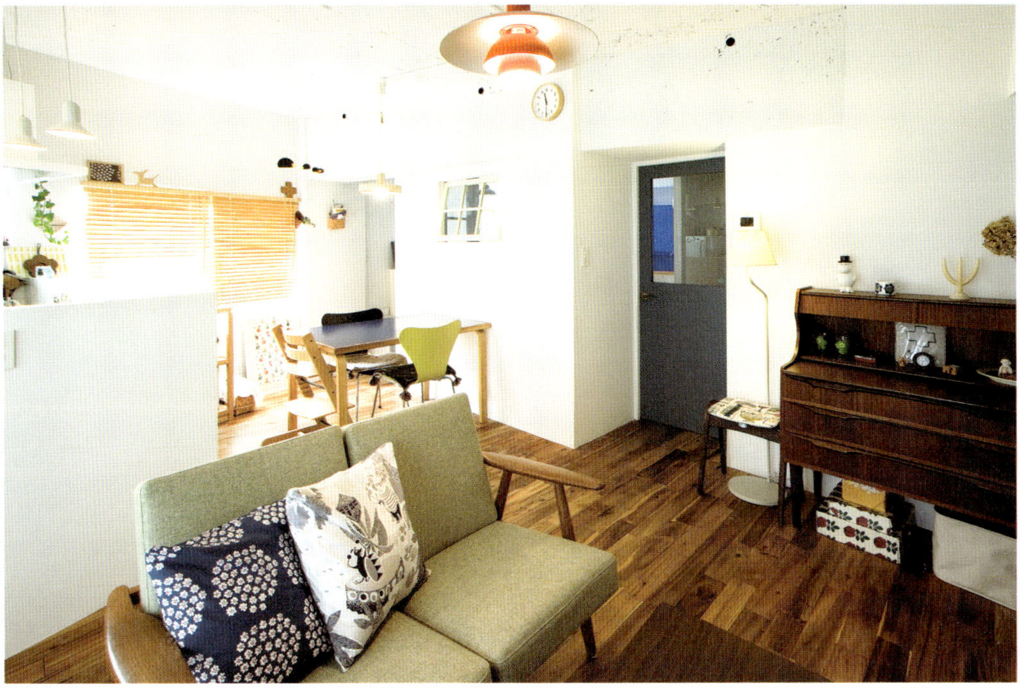

以前から愛用していた北欧ヴィンテージのライティングデスク、アアルトのダイニングテーブル、ヤコブセンの「セブンチェア」。大好きな家具を置くことを想定しながら、空間づくり。

絶対、無垢材のフローリングにすることは決めていましたが、希望だったオークは高価すぎたため、いろいろリサーチして気に入ったアカシア材を最終的に選択。

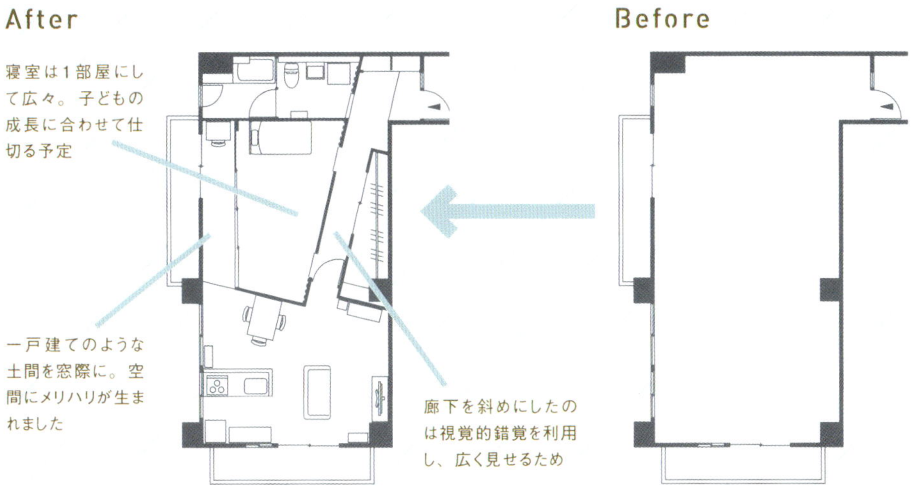
After
Before
寝室は1部屋にして広々。子どもの成長に合わせて仕切る予定
一戸建てのような土間を窓際に。空間にメリハリが生まれました
廊下を斜めにしたのは視覚的錯覚を利用し、広く見せるため

Data

設計：吉デザイン設計事務所	家族構成：3人暮らし
施工：ZEN建築事務所	（夫35歳・妻38歳・長男4歳）
築年：築40年（集合住宅）	設計期間：6ヶ月
竣工：2013年4月	施工期間：2ヶ月
専有面積：60㎡	工事費：約700万円（設計料別）

購入時はすでに内装が壊されていたスケルトン状態。全面リノベーションの場合、解体・処分費が高くつくので、この状態で購入できたのは幸運でした。

Before

右：家族とコミュニケーションを取りやすい対面式キッチン。オーダーメードにせず、シンプルで安価のものが見つかる「サンワカンパニー」のものを選択。
左：背面の収納は「イケア」。夫ががんばって組み立てたそう。吊り戸はアアルトがデザインしたもの。

インテリアや雑貨、暮らしにまつわるものが好きなMさん夫妻にとって一から空間をつくり上げることは、昔からの夢だったそう。「とはいえ、住みたいエリアで一軒家を建てるのは予算的に無理。リノベーションという選択が自分たちにぴったりでした」。

Mさんが出会った物件は、大好きなエリアにあるマンション。内装が取り壊されたスケルトン状態のときに見学ができ、そのままでの購入なら値引きもあり、リノベーションを考えていたMさんには好都合でした。

そして、あこがれの空間づくりがスタート。当初は不動産業者紹介のリフォーム会社と打ち合わせをはじめたのですが、「先方からの提案が一切なく、建具などもよくある規格品。魅力を感じませんでした」。

〝自分たちのやりたいことはこれじゃない！〟と、断ることにし、思いきって声をかけたのが、あこがれていた「無印良品の家」を担当した建築士、吉川直行さん。「同世代で話しやすく、人柄もよく。何より送られてきた図面には自分たちが思ってもみなかった提案が盛り込まれ、一気に気持ちがあがりました」。その後は楽しくてたまらなかったという打ち合わせを重ねます。ディテールにもこだわり、夢だった空間づくりのワクワクさを満喫し、オンリーワンな住まいを手に入れました。

この住まいのなかでいちばんのお気に入りだというドア。グレイッシュなブルーが北欧っぽい雰囲気をつくるのに一役買っています。ドアノブもこだわって探した北欧のヴィンテージ品。

西側の窓際には土間的スペースが。縁側のような、自由な使い方のできる場所で、リノベーションだからこそ、つくれた空間。キッチンで作業をしていると視線が奥まで抜け、広々感じます。

Q 中古マンションに抵抗はなかった？

今の時代にない味わいが好きなので、抵抗なく、あえて選びました。共用階段のデザインや円形の窓が気に入っています。耐震補強の工事が決定していたことも安心材料でした。

寝室と土間の間には大きなガラスの引き戸を設置。土間を縁側的に使え、一軒家のよう。「広さを考えるともったいない気持ちもありますが、この家の“ゆとり”やおもしろさになっていると思います」。

リビングから玄関方向を見たところ。写真からはわかりませんが、ここが空間を斜めにつっきる廊下。視線が奥まで通り、広く感じる効果があります。

ユニットバスではなく、一から造作したバスルーム。仕切りをガラスにしたのでかなり広々とした印象です。マンションとは思えない、明るく気持ちのいいスペースになっています。

Q 参考にした本や特定の場所は？

長野・上田にあるショップ「haluta」からはヒントをもらいました。本は『家―家の話をしよう』（良品計画刊）、『わたしの住まいのつくりかた』（おさだゆかり著）を読み込みました。

Q 北欧テイストは意識した？

北欧の家具が好きで以前から使っていたので、自然と北欧テイストになったと思います。古いものを大切にする北欧の姿勢が好きです。和との相性のよさもひかれるポイント。

右：管理規約で取り替えができなかった玄関ドアは内側だけ水色にペイント。これだけでぐっと雰囲気がよくなります。壁にはインダストリアルデザインなライトをつけてアクセントに。左：玄関正面に北欧ヴィンテージの小さな棚を。ファブリックパネルは自作です。

Mさん宅の北欧エッセンス

右：デンマークの「フレンステッド」のモビールが、ダイニングの天井からゆらゆらと。親ハリネズミが子ハリネズミを連れているみたいで愛らしさいっぱい。下：白樺の樹皮を編んだかごも北欧のもの。Mさんの北欧好きを知っている友人からのプレゼントです。目隠しでかけたファブリックは「マリメッコ」。

賃貸時代から愛用している、北欧のライティングデスクは、空間を引き締める存在感があるだけでなく、リビング回りのこまごましたものを収納できて便利です。

ムーミングッズにはまり、家のあちこちで増殖中です。「アラビア」のマグは限定品も多く、コレクションが増えてしまうそう。

子どもたちの部屋は、この“家具”の向こう側。高さが150cmほどで上が空いているので、光と風が抜けて視線が通り、圧迫感がなく、広々感じます。オーク材を使用し、反対側が収納になっています。家具は床に固定済み。

こちらの家具の向こうが寝室。仕切りを家具にしているので、すべてに収納ができ、壁厚の分のスペースの無駄がありません。こちらは落ち着いたチェリー材を使用しています。

渡邉さん宅

家具職人だからできた、ほかのどこにもないインパクト空間

窓側から子ども部屋方向を見た全景。家具はL字に設置しているのでプライベートはある程度守れ、子どもの気配は感じられるという絶好のバランス。ソファやテレビ台も渡邉さん作。

After

家具を動かしたり、増やしたりすれば将来的には2部屋にも

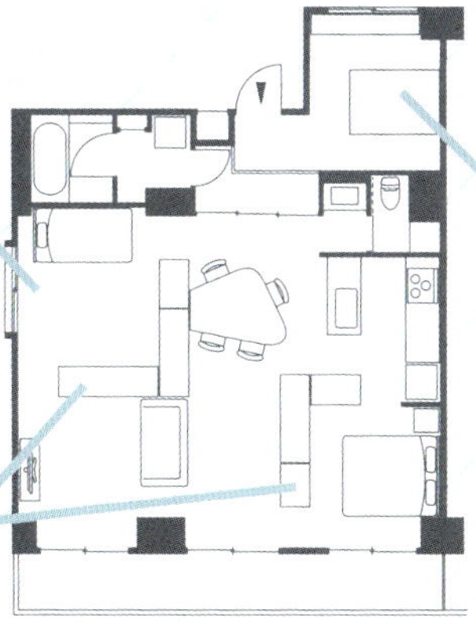

仕切りの家具はL字型に設置。すべて収納を兼ねています

キャンプ用品、自転車、洋服。多くを受け止めてくれる場所

Before

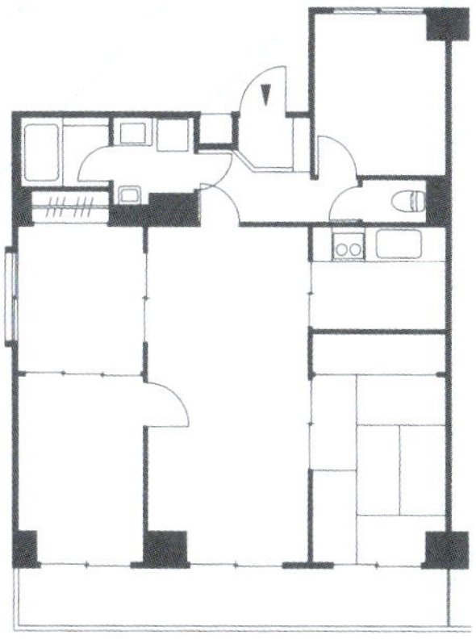

Data

設計：スタジオ グリーンクラフト＋NABU KAGU
施工：有山工務店
築年：築33年（集合住宅）
竣工：2011年2月
専有面積：78.6㎡
家族構成：家族4人
（夫40歳・妻39歳・長男8歳・長女6歳）
設計期間：2ヶ月　施工期間：2ヶ月
工事費：1100万円（家具＆設計料込み）

すべての内装を解体して、間取りを含め、一から製作。玄関、水回り、土間以外はつながったワンルームという構成。80㎡弱でこの間取りなので、かなり広々感じます。

Before

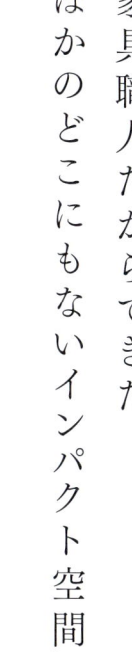

上質な材でていねいに作られたキッチンは、大量生産品では決して得られない、ぜいたくな雰囲気をもたらします。換気扇ダクトは隠さず、デザインの一部とし、天井高も確保しました。

最初は取り付けていなかったのですが、妻の佳子さんの要望で作業台上部に棚を付けました。頻繁に使う道具や調味料を収納できます。住みながら改良していくのも楽しいもの。

デザイン性の高さだけでなく、細かい収納も要望通りにつくれるのがオーダーメードのキッチンの魅力。ガスコンロの近くに引き出しタイプの調味料入れを設置しました。

仕切り家具を回り込んだところにある寝室。必要十分な広さです。左の収納は住みはじめてから追加。壁際なのでこれは背を高く。

右：床は無垢のオーク材。幅広なので、質感がよく、おおらかな雰囲気です。左：青のタイルにほれ込み、これを中心に内装のテイストを決めたそう。「平田タイル」のもの。

壁のような、家具のような不思議な箱の向こう側から顔を覗かせるかわいい子どもたち。ここ、渡邉さん宅では、それはふつうの光景です。広いワンルームに箱のような家具が置かれ、空間がゆるやかに仕切られています。

渡邉さんは「NABU KAGU」の名前でオリジナル家具をつくる家具職人。中古マンションを買ってリノベーションをするという選択をしたとき、せっかく一から空間をつくるのだから、家具職人ならではの、インパクトのある空間にしたいと思ったといいます。

「マンションの室内には、基本的に柱は不要。そして、うちは家具屋。自然に家具で空間を仕切るというアイディアが出てきました」。

その結果、光や風が抜け、心地よく快適。広々した場所で子どもがのびのび育つ。家族の成長に合わせて、自由に間取りの変更ができる。そんな魅力に富んだオリジナリティあふれる空間になりました。

家具だけなく、住まいの土台づくりにも参加したいからと、天井はあえて夫婦でペイント。友人である設計士の夫妻と4人で、丸2日かかったそうですが、「楽しかった!」とおふたり。住まいづくり全般に積極的に参加したおかげで、愛着も人一倍です。そうやって完成した唯一無二の空間で、家族4人、にぎやかな暮らしを楽しんでいます。

土間スペースの真ん中にも大きな"箱"を発見。3方に扉があって靴、洋服を収納。奥には自転車やキャンプグッズだけでなく、ストック食材なども収納できる納戸的な場所。

昔の学校のような雰囲気をもつ洗面スペース。シンクは「INAX」製で実験室などで使われるものというから納得です。鏡の裏は収納になっているので細かいものが収まります。

蛇口ハンドルもなんだかキュート。「P.F.S.パーツセンター」で見つけて、取り付けました。小さなパーツにまでこだわりを感じます。

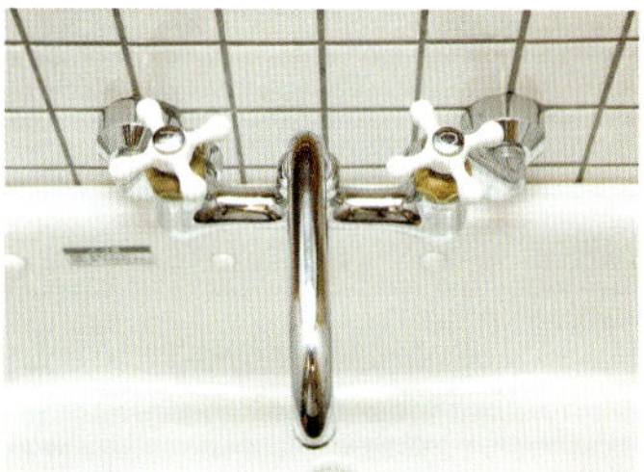

Q 中古マンションに抵抗はなかった？

古きよきものの魅力があるので、抵抗はまったくなく、自分たちで一から空間をつくることの喜びのほうが大きかったです。新耐震基準のマンションだったのも安心でした。

Q 北欧テイストは意識した？

とくに意識はしませんでしたが、基本的に北欧テイストは好きなので、そういう方向になったかもしれませんね。つくる家具も多かれ少なかれ、北欧の影響を受けていると思います。

P24の写真の裏に回り込むと子ども部屋。洋服や本、おもちゃなどを仕切り家具の中にすべて収めることができます。「イケア」のベッドの土台部分も渡邉さん作。

Q これから挑戦する人にアドバイスするなら？

図面を見て頭の中で想像するのには限界があるので、住みながら完成させる気持ちで余白を残しておくといいと思います。土台部分は無理でも収納などは後から増やせますから。

渡邉さん宅の北欧エッセンス

子どもの成長に合わせて使える椅子「トリップ トラップ」は、北欧デザイン。パープルとブルーというカラーセレクトが渡邉さん宅にぴったりです。

ダイニングなどに使っている椅子は渡邉さんがデザイン・製作したもの。そのシンプルでかろやかなデザインに、北欧に通じる雰囲気を感じます。

北欧のテーマカラーと認識されている水色を、ダイニングの照明に発見。フランスの「ジェルデ」のものですが、色のせいか北欧テイストです。

ソファの後ろがアトリエ部分。ガラス戸で空間は自然につながっていますが、段差があることで心理的な仕切りに。構造上抜けなかった筋交い金物はあえて見せてアクセントに。

アトリエと玄関の仕切り壁もガラス。1階の空間が視覚的にはワンルームのようにつながるおかげで広々感じます。奥の面をブルーにペイントした本棚が北欧気分をつくります。

床は明るい色で黄色くないものという要望を満たすもののなかから、オークの無垢材をセレクト。北欧家具的雰囲気をもつ「アーコール」のネストテーブルとも相性抜群。

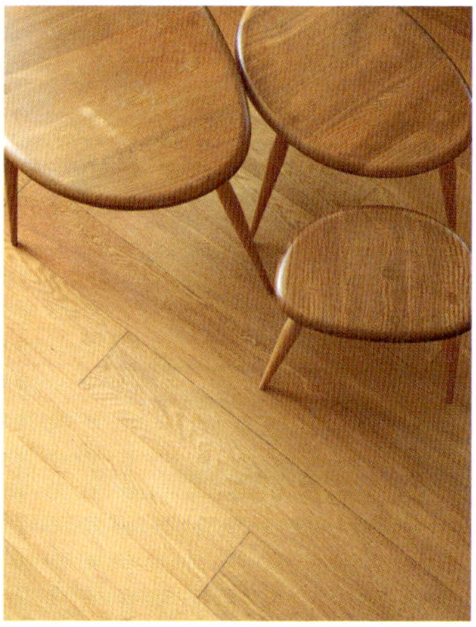

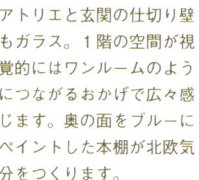

石澤さん宅

手を入れながら、長く慈しみたくなる。そんな味わいのある一軒家が完成

ふたりがデスクワークをするスペース。デスクは「イケア」のキッチン用天板に脚を取り付けたもの。義人さんのアイディアです。部屋幅ぴったりでしっくりなじんでいます。

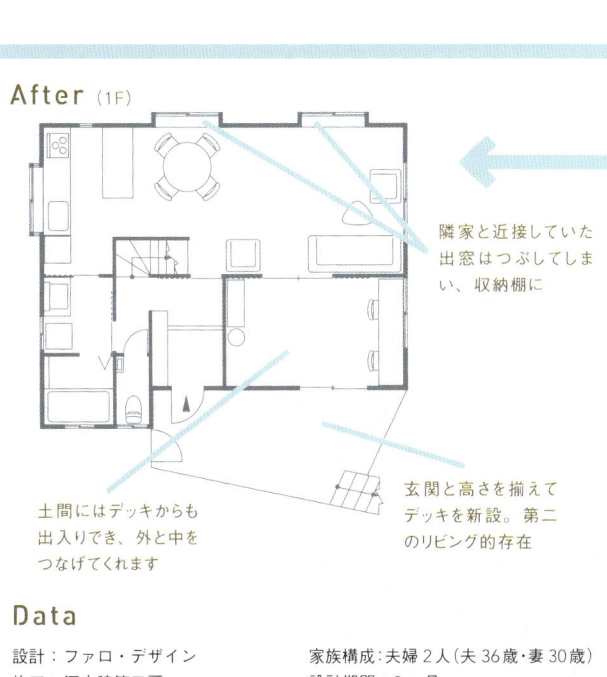

After (1F)

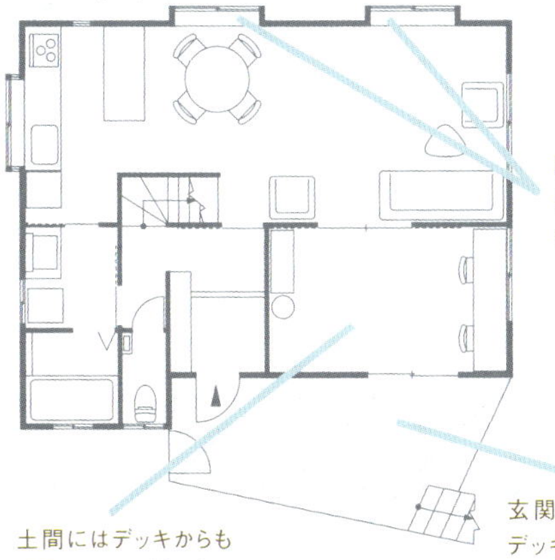

隣家と近接していた出窓はつぶしてしまい、収納棚に

土間にはデッキからも出入りでき、外と中をつなげてくれます

玄関と高さを揃えてデッキを新設。第二のリビング的存在

Before (1F)

Before

1階は筋交いを残しながらも壁を取り払い、ワンルーム的に広々と。2階は既存を多く残す形にして予算を配分。水回りの設備機器はすべて一新し、床暖房、デッキを新設。

Data

設計：ファロ・デザイン
施工：河内建築工房
築年：築28年（戸建て・軽量鉄筋）
竣工：2010年8月
面積：134㎡

家族構成：夫婦2人（夫36歳・妻30歳）
設計期間：8ヶ月
施工期間：3ヶ月
工事費：約900万（設計料別）

床、収納棚、キッチンと木材がたくさん使われていますが、オーク材でシンプルなデザインに仕上げたので、モダンな印象。北欧の椅子や照明、水色の壁のおかげか北欧的な雰囲気満載です。

キッチンは「イケア」の部材を組み合わせたもの。義人さんが何度も店舗に出向き、考え抜いたデザインです。「ほかではシンプルで使いやすいものが見つからなくて。難しかったけど、楽しみました」。

Q 正直、失敗したなと思っていることは？

失敗というほどでもないのですが、コンセントは床近くだけでなく、腰高にもつくっておけばよかったと思っています。同じく壁にUSBコンセントも付ければよかったですね。

キッチンの出窓には、内装下地などに使うOSBボードを取り入れました。花を飾り、小さな気持ちのいいコーナーになっています。

夫の義人さんはカメラマン、妻の聡美さんはインテリアライターという想像にたがわぬ、センス抜群であろうという想像にたがわぬ、すてき空間でふたり暮らしを満喫中です。

なじみあるエリアで見つけた築25年強の一軒家。リノベーションを依頼したのは、聡美さんが仕事で出会った建築事務所です。「ラインの美しさなど、ディテールがいいと思って」。多くの取材をするなかでピンときた相手なので、相性のよさは間違いありません。

目をひくのは、一段低くつくられたコンクリート打ちっぱなしの土間空間。ふたりともフリーランスなので独立したアトリエは必須。でも、こもった感じにならず、リビングとのつながりも欲しい。そして、つくられたのが元和室のこのスペース。ガラス戸で仕切っているので、広々と感じるのも魅力です。

資料となる写真をいっぱい集め、好きなものを伝えるところからはじまったリノベーション。「家づくりのプロセスを楽しみたかった」という義人さんも積極的に加わり、キッチンの組み合わせを詳細に練ったり、家具を選んだり。「長く使える、味のあるものを探すうち、北欧のヴィンテージ家具が増えました」。古い味わいに魅力を感じ、手入れをしながら長く愛用したいというふたりにとって、リノベーションはぴったりの選択でした。

収納家具に付ける取っ手は意外に目立ち、印象が変わります。迷ってしまったのでとりあえずなしにし、住みはじめてから義人さんが革で手づくりして取り付け。

土間があるので、玄関にはたたきを設けず、玄関扉を入ると、そのままリビングにつながる床になっています。壁のペールグリーン、真っ白でシンプルな玄関扉がさわやかな印象。

Q 北欧テイストは意識した？

元々持っていたものだけでなく、好きでひかれる家具は北欧のものが多いので、結果的に影響はあったと思います。シンプルで日本のものにも合うところが気に入っています。

Q これから挑戦する人にアドバイスするなら？

まかせきりにせず、できることは自分たちでも考えたほうがいいです。参加したほうが楽しいですから。とくに、ものを収める場所はきちんと決めておくのがおすすめです。

2階は大きな変更を加えませんでしたが、トイレの入り口には手洗いスペースを新規で製作。以前から持っていた無垢材を台にしてシンプルな洗面ボウルを合わせています。

2階にある寝室。奥に大きなウォーク・イン・クロゼットをつくり、たっぷりの洋服を収納できるようにしています。床は引き渡し後に自分たちで新たに敷いたそう。

キッチンからも玄関からも回れるようになっていて、動線のいい洗面所。グレーの目地を合わせた白いタイルと、理科の実験室のような大きな洗面シンクが印象的です。

石澤さん宅の北欧エッセンス

上：リビングに選んだ時計はアルネ・ヤコブセンのデザインのもの。黒とシルバーのストイックなシンプルさがモダンな雰囲気を生みます。右：ダイニングの棚にたたずむライオンは、リサ・ラーソンの陶器のオブジェ。にくめない表情で愛らしさ満点です。

アトリエには北欧ヴィンテージのアームチェアと和家具を並べて。ミックスしてもなじむのが、北欧デザインの魅力。

北欧というキーワードは掲げなかったものの、お気に入りのダイニングセットは無垢の白木のもの。無垢の床や白い壁との相性がよく、北欧テイストをかもし出す空間になっています。

佐野さん宅

ごろごろできることが、わが家のテーマ。〃思いつき〃からはじまったくつろぎの家

すべて無垢の木材を張るのではなく、ソファのスペースはあえてカーペット敷きに。床でごろごろするのが好きだからという佐野さんの希望です。ソファの上だけでなく、床でもくつろげ、リラックス度がアップ。

緊張度の高い看護師の仕事を忘れ、ほっとできる場所。カーペットでごろごろしたり、ソファであぐらをかいたり、自由な姿勢でくつろぐ時間が大好きだそう。

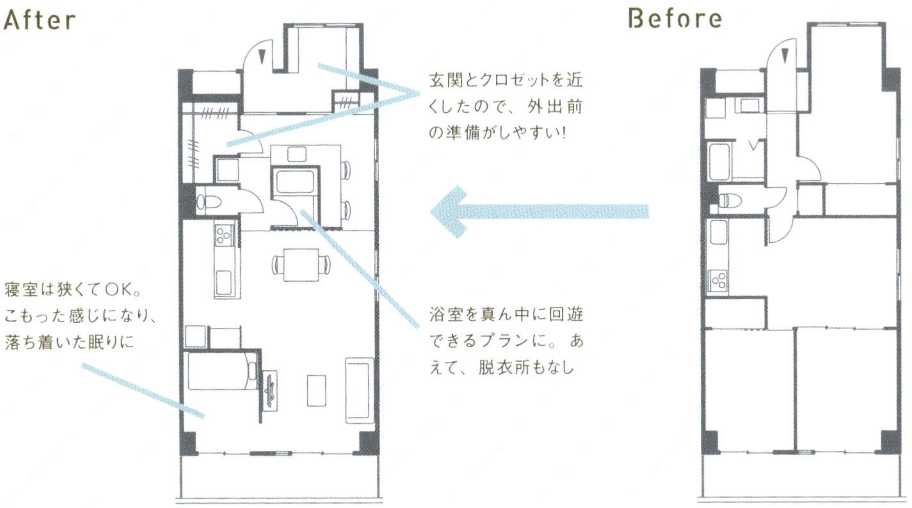
After
Before
玄関とクロゼットを近くしたので、外出前の準備がしやすい!
寝室は狭くてOK。こもった感じになり、落ち着いた眠りに
浴室を真ん中に回遊できるプランに。あえて、脱衣所もなし

Data

設計：nu（エヌ・ユー）リノベーション
施工：nu（エヌ・ユー）リノベーション
築年：築31年（集合住宅）
竣工：2013年3月
専有面積：70.44㎡
家族構成：ひとり暮らし（39歳）
設計期間：2ヶ月
施工期間：2ヶ月

リフォームをされていない状態で購入したマンションの内装を一旦全部り取り払い、元の間取りにとらわれず、プランを構築。水回りも含めて、すべて一新。

Before

洗面所とPCスペースを一体化し、浴室を囲む形で設置。「狭くて暗い洗面所でメイクするのは楽しくないので、オープンな場所にしたかったんです」。照明は玄関ポーチ用のものですが、デザインが気に入って採用。

Q 中古マンションに抵抗はなかった？

不安はありましたが、管理がきちんとされている印象でしたし、仲介会社の調査も信用できました。公園が近く、管理人さんも住み込みなど、条件のよさにひかれましたね。

柔らかい光が広がり、のびやかで気持ちのいい空間。ここで、ごろごろしながら家時間を満喫するのが今の至福という佐野さん。

30代、女性、ひとり暮らしでマンションを購入し、空間を一からつくり上げる。このなかなかハードルの高い〝事業〟を佐野さんが完了させたのは半年ちょっと前のこと。並々ならぬ決断の元の選択なのかと思いきや、「私、28歳のときに会社員を辞めて看護師になったのですが、そのときも、今回も〝思いつき〟」と笑います。たおやかな容貌からは想像できない、きっぱりした性格のようです。

当初は新築マンションをまず候補に。「でも買える値段の新築マンションは狭く、自分をマンションに合わせる感じがして、ひかれませんでした。その後、中古＋リノベーションという選択を知り、気軽な気持ちでリノベーション会社に話を聞きに行ったんです」。そして、その日のうちに何軒も中古マンションを見に行き、あれよあれよという間に購入を決定。ゆったりとした広さ、3方向に窓がある明るさ、窓の外の桜が決め手になったそう。

リノベーションは、〝今〟の自分がとにかく気持ちよく過ごせることを大切にしてプランニング。「自分が決めてないものが何もない、自分が好きなものしかない空間ができ、本当に快適」と満足なできばえになりました。

玄関からリビング方向を眺めるこの風景が佐野さんのお気に入り。手前に洗面スペースの淡いラベンダー色の壁が、奥に寝室の深いパープル色の壁が見え、つながりを感じさせます。

Q これから挑戦する人へアドバイスするなら？

リノベーション会社にまかせきりにせず、モデルルームなどに出向いて、きちんと現物を確認するといいと思います。イメージと違うということにならず、後悔しません。

Q 北欧テイストは意識した？

キーワードとしては掲げていなかったのですが、『北欧、暮らしの道具店』というネットショップのサイトはよく見ますし、商品も買うので、影響を受けているかもしれません。

ベッドルームは完全な個室ではなく、壁の上部はオープンにした状態。上が空いている分、圧迫感がありません。くすんだパープル色で落ち着いた雰囲気に。

広々とつくった玄関には窓もあり、明るい空間。ウォーク・イン・クロゼットのそばでもあるので、ここで洋服と靴をトータルにコーディネートし、鏡でチェックします。

素材感など、ディテールにこだわれるのがリノベーションの楽しいところ。ガラスタイルは洗面スペースに使ったもの。アンバーな色が空間を引き締めます。床は無垢のオーク材をセレクト。レトロな型ガラスは担当のデザイナーからの提案です。

キッチンはオーダーメードではなく、「Panasonic」のシステムキッチンを採用。ナチュラルな木調の面材に白い天板で、北欧テイストの空間になじみます。いくつもモデルルームに出向いて自分自身で決めました。

右：見せる収納のできるオープン棚をキッチンに。ひとつひとつ吟味してセレクトしたお気に入りのキッチンツールを並べています。パープル色の壁がここでも利かせ色に。左：型ガラスの仕切りが棚を適度に目隠し。

Q 家具はどうやって選びましたか？

いろいろなインテリアショップを見に行き、東京・目黒の『BRUNCH』で、ソファとダイニングセットを購入しました。ソファを中心にインテリアを考えたくらいのお気に入りです。

チークの古材で味わいあるテーブルは、『BRUNCH』のオリジナル品。北欧の器との相性も抜群で、フェミニンな北欧空間をつくるのに一役買ってくれています。

佐野さん宅の北欧エッセンス

「鳥のモチーフが好きなんです」と佐野さん。玄関の棚の上には、リサ・ラーソンのヴィンテージの陶板を飾っています。ネットで検索して見つけ、購入しました。

上：「ダンスク」の水色のホーロー鍋は、北欧好きのあこがれアイテム。絵になるデザインなので、オープン棚に置き、見せるように収納しています。左：銀行のノベルティだったものが復刻されたフィンランドの貯金箱。とぼけた顔で愛嬌たっぷり。どちらも「北欧、暮らしの道具店」で購入。

ファブリックやラグ、家具で多色を組み合わせたリビング空間。壁から飛び出る階段は友人によるモダンアート作品であり、猫にとってはキャットウォーク的通路になっています。

床のアイアンウッドは、外構などに使われる丈夫で堅い材。猫たちとの同居生活なので傷になりにくいことを主眼にセレクト。

スチール枠の窓は、新しいマンションでは決して得られない、味わいのある質感。元はすりガラスだったので、庭が見えるようクリアに替え、枠はグリーンにペイント。

Case 06

多彩な色、楽しいデザイン。遊び心はじけるヴィンテージマンション

小林さん宅

「無印良品」のベッドを組み合わせることを考えて外枠をオーダー製作したソファ。カバーは「マリメッコ」のファブリックを使用。柄×柄、色×色の組み合わせが、さすが！

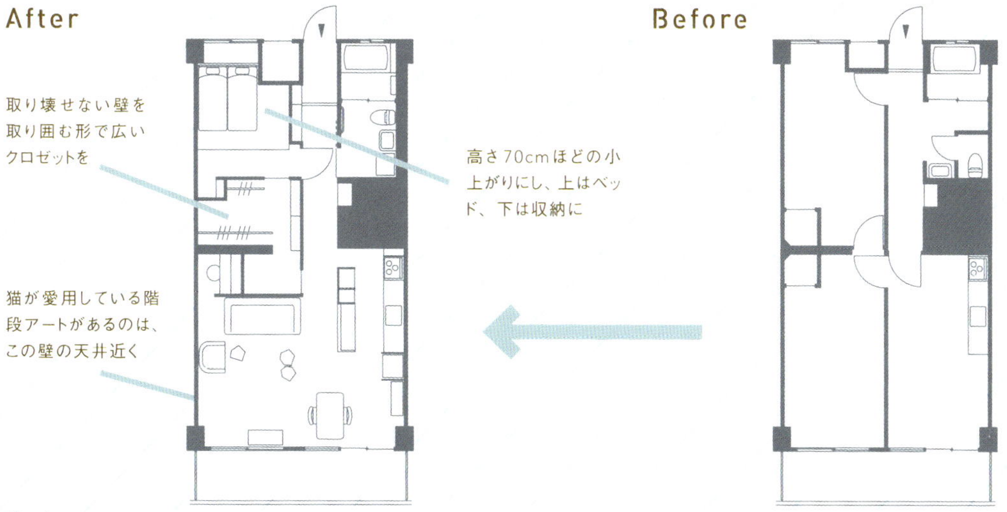

After
取り壊せない壁を取り囲む形で広いクロゼットを
高さ70cmほどの小上がりにし、上はベッド、下は収納に
猫が愛用している階段アートがあるのは、この壁の天井近く
Before

Data

設計：設計事務所 ima
施工：きこりたち
築年：築50年（集合住宅）
竣工：2003年
専有面積：56.33㎡
家族構成：2人暮らし（夫47歳、妻47歳）
設計期間：1ヶ月強
施工期間：1ヶ月
工事費：1000万円（設計料なし）

取り壊せない壁とパイプスペースを残して、内装はすべて一度取り壊し、スケルトンにしてから空間を再構築。天井板も取り払うことで、天井を30cm高くできました。

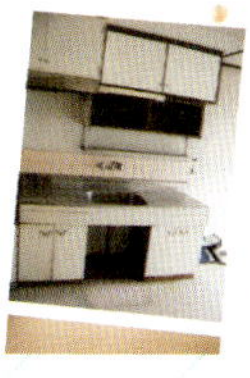

Before

「マリメッコ」の国内外のショップなど、内装デザインを多く手がける小林さん夫妻。そんなふたりが暮らすのは、1964年、東京オリンピックの年に完成したヴィンテージマンションです。東京の中心地にあるにもかかわらず、その時代ならではのゆったりした空気が流れ、窓からは住民専用の庭が眺められ、なんともぜいたくです。そして、ふたりのプライベートを支える空間も実にユニーク。小林さん夫妻自らがデザインした住まいだけあって、はじける楽しさにあふれています。

知り合いの不動産業者から「デザイナーならこんなマンションがいいよ」と紹介されたのが、このマンション。10年前のことです。すでに築40年ほど。中はかなり年期の入った状態だったのですが、部屋から見える庭の景色なども含め、魅力的な場所に変わることを確信し、即決に近い形で購入を決めました。

デザイナーとしての実験的な試みをあちこちに施しつつ、自分たちよりも長くこの場所で過ごす猫3匹の快適さにも心をくだきました。建物がもつたたずまい、味わいも大切に。さらに、「マリメッコ」などのカラフルなファブリックや遊び心あふれる家具が空間を彩ります。リノベーションから10年。昨年からは犬のたけちゃんも仲間に加わり、ヒトふたり、猫3匹、犬1匹の暮らしが続いています。

マンションのもつレトロな雰囲気とよく合うキッチン。一からつくった新しいものですが、以前のキッチンの天板がまだ使える状態だったので、唯一それを残して組み合わせました。

キッチンの仕切りになっている壁が目をひきます。シルクスクリーンでラワン材に柄をプリントし、インテリアに生かす試み。自然モチーフのおかげか北欧的雰囲気になっています。

サニタリースペースは一ヶ所にまとめ、外国の住宅のようなつくりに。右から洗濯機、洗面シンク、トイレ、そして浴室という順に並んでいます。覚え書きのふせんもどこかアート的。

Q 中古マンションに抵抗はなかった？

魅力のほうが勝りました。立地や今まで払っていた家賃を考えると“安い”と感じました。なにより、借景はお金では買えないもの。満足できる選択だったと思います。

肘で押しても開閉できる取っ手は病院などの公共の施設で採用されるものだそう。小さなパーツにもこだわりを感じるセレクト。

規約上、玄関扉は替えられませんが、内側をペイントするのは問題ないので水色に。郵便受けをオレンジにするところにデザイナーのセンスを感じます。たたきを当初より広げ、出入りしやすく。

Q 正直、失敗したなと思っていることは？

ものをたくさん持っているので、大きなクロゼット部屋をつくり、小上がりのベッド下すべてを収納にしましたが、使いにくく、結局入れっぱなし。収納のつくりすぎはよくないかも。

Q 北欧テイストは意識した？

今は、「マリメッコ」の仕事をしているので北欧と縁がありますが、リノベーション当時は意識していなかったですね。でも北欧は普遍的なもの。自然に入ってきているかもしれません。

リビングから玄関方向を見たところ。左の壁の中がクロゼット部屋。壁につくられたモチーフはル・コルビュジエの設計による、ロンシャンの教会。窓から猫たちが出入りできます。

Q これから挑戦する人にアドバイスするなら？

色選びをするときに、汚れが目立たない色を意識しがちですが、気にせず好きな色でいいと思うんです。上から塗装を重ねることができるので、失敗は恐れなくていいと思います。

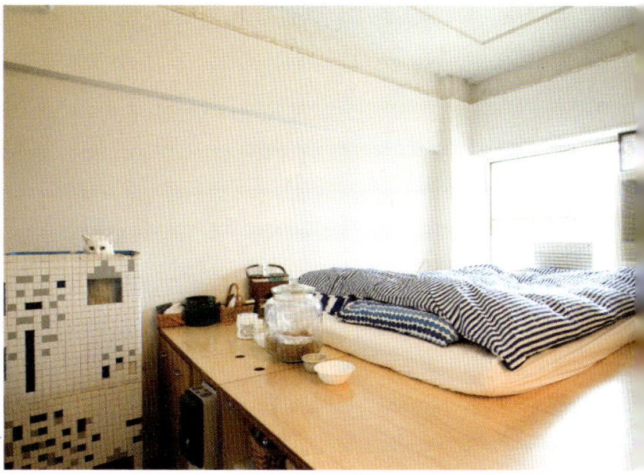

寝室の⅔くらいは小上がりになっていて、その上を寝るスペースに。手前側は棚として使い、奥は床板を上げて収納できるようになっています。かなりの収納力。

小林さん宅の北欧エッセンス

「ダンスク」の魚モチーフの皿は北欧に行ったときにフリーマーケットで見つけて購入。お菓子などを入れてテーブルに。

白くまのグッズが好きで気がついたら、コレクションのように。右の2つはリサ・ラーソンのもの。洗面所に寄り添う感じで置いてある様子がキュートです。

フィンランドのホーローメーカー「フィネル」のボウル。仕事で行く機会も増え、北欧のキッチングッズが増えてきました。

壁は下地の上からモルタル塗装をし、シックな雰囲気に。食器棚、ダイニングセットはイギリスで1950〜60年代につくられた「G-Plan」のヴィンテージ。北欧スタイルの影響を受けてデザインされた家具です。東京・吉祥寺の「transista」で購入。

Q これから挑戦する人にアドバイスするなら？

下手な口出しをしすぎないこと。要望はきちんと伝えたうえでまかせるところはまかせ、設計者に本領を発揮してもらったほうが、自分たちの想像以上の結果が得られる気がします。

裸足で歩いたときに木の素地を感じるフローリングにしたくて、いくつかサンプルをつくってもらい決めた床。ナラ材にブラッシング加工をし、染色しています。

Case 07

小牟田さん宅

森の中にいるかのような眺望に際立つ、シック&モダンな大人空間

リビングの窓の真ん前に公園があり、避暑地の別荘のような恵まれた眺望です。外の自然の木々と内のモダンな内装というコントラストがこの住まいをより魅力的に見せます。

After

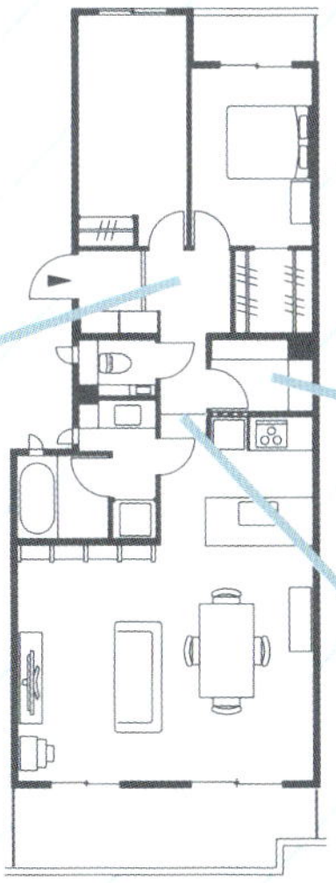

扉の位置を変え、玄関ホールを広々と
大きな収納庫をしっかり設けているので、部屋がすっきり！
ガラスの引き戸で開放感をキープしつつ、冷暖房効率アップ

Before

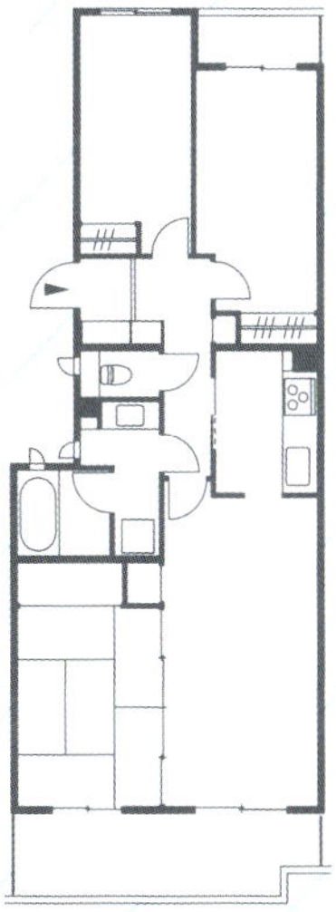

Data

設計：RYO ASO DESIGN OFFICE
施工：M-CUBE
築年：築17年（集合住宅）
竣工：2012年5月
専有面積：75.84㎡

家族構成：2人暮らし
（夫35歳、妻31歳）
設計期間：2ヶ月
施工期間：2ヶ月
工事費：1050万円（設計料込み）

そのまま住むこともできそうな内装でしたが、すべて解体し、間取りを初めから構築。キッチンの位置もずらしました。水回りの設備機器はすべて新規に導入。

Before

自分たちですべて決めたオーダーメード
キッチン。奥行きを広くしたので、パン
を焼くときや盛りつけのときに便利だそ
う。「制約がない分、引き出しの高さな
ど細かいところに悩みました」(恵さん)。

天井高＆壁幅いっぱいの本棚は壮観！　奥面の躯体コンクリートを生かしたかっこいいデザインです。あこがれを実現させた賢彦さんは、「本を取り出すたび、いいなと思います」と大満足。

棚板は奥を少しだけ空けて取り付け。おかげで電化製品を入れても、コードが前に垂れません。FAX複合機も収まりました。

ニュアンスのあるタイルをキッチンに採用。汚れが目立つからと目地を入れずに貼り合わせてあるのが目新しく、おしゃれなたたずまいに。

大人の雰囲気漂う、シックでモダンな空間をつくり上げた小牟田さん夫妻。ふたりがリノベーションを選んだのは、当然の成り行き。というのは、妻の恵さんは、リノベーションのパイオニア「ブルースタジオ」に勤めていたことがあり、リノベーションの魅力を熟知。一方、夫の賢彦さんは考古学を専攻していたほど、古いものに価値を見出すタイプ。新築も検討したそうですが、満足できず、「やっぱりリノベーション！」と決断に至りました。

購入したのは目の前に公園の広がる、低層マンション。すべての部屋が外に面し、光が入るということを条件に選んだ物件です。公園の眺望は条件ではなかったとのことですが、魅力的な物件に出会えました。

リノベーションを依頼したのは、恵さんのかつての同僚、阿相 稜さん。「彼のつくる空間の雰囲気が好きでしたし、いっしょに仕事をしてきたので意思疎通がしやすいと思いました」と恵さん。賢彦さんが実現したかったのは、壁一面の本棚と足触りのいい無垢材の床。恵さんの思い入れが強かったのは、キッチン。ふたりの要望それぞれにリノベーションのプロである阿相さんが応え、三者の共同作業によって、「想像していたより、さらにいい家になりました！」と賢彦さんがいうほど、大満足の住まいができました。

すべての扉は阿相さんがデザインし、オーダーで製作。ヴィンテージ家具を選んでいる小牟田さん宅のインテリアになじみます。廊下とLDKを仕切るのはガラス戸。冷暖房効率と開放感を両立。

ホテルライクな雰囲気の洗面スペース。床から少し浮かせる形で設置したキャビネットが広さを演出してくれます。木枠の鏡は「家具っぽいもの」というリクエストに合わせてセレクトされたもの。

Q リノベーションで楽しかったことは？

自分の頭の中でイメージしていたことが、その通りにでき上がっていくのが、やっぱり楽しかったです。工事を覗きにくるたび、様子が変わっていく過程を見るのはワクワクしました。

Q 正直、失敗したなと思っていることは？

いろいろなものを測りまくってサイズを決めたのに、キッチンの壁に設置した棚位置を間違えました。コーヒーメーカーのふたが棚にぶつかってしまい、使いにくいんです（笑）。

個室を少し狭くする選択をして、その分玄関を広げました。
玄関ドアを開けると目に飛び込んでくる壁に、ブラケット照明を2つ並べ、空間を立体的に感じられる仕かけを。

個室は落ち着いた空間にしたくてカーペット敷きに。フローリングとはまた違った魅力があり、歩いているとほっとするので、寝室にはぴったりの選択。

小牟田さん宅の北欧エッセンス

左：映画「かもめ食堂」にも登場した「オパ」のケトル。シンプルなデザインが、小牟田さん宅の磨き上げられたステンレスのキッチンによく似合っています。右：「イッタラ」のガラス皿「カステヘルミ」シリーズはしずくのような凹凸がデザインされた美しいプレート。来客時にお菓子を並べて。

上：瑠璃色と茶色の組み合わせが美しいカップ＆ソーサー。今はなくなってしまった、デンマークの陶器メーカー「スーホルム」のヴィンテージ。左：リビングに置いたネストテーブルは、東京・吉祥寺の「please」で購入した北欧のもの。来客時などに活躍。

寝室、アトリエ、リビングをつなぐコーナーにはインナーテラスを設置。まるで玄関前のポーチのようです。

Uさん宅

マンションの中に小さな家!?
変形間取りを生かしきったワクワク空間

LDKとアトリエの間にも室内窓を。板張りの壁は白く塗る予定でしたが、工事中に木の質感を見てそのままに。

"小屋"の窓を開けるとそこは寝室になっています。両開きの室内窓は、個室に光と風を取り込み、空間にアクセントを与えてくれます。

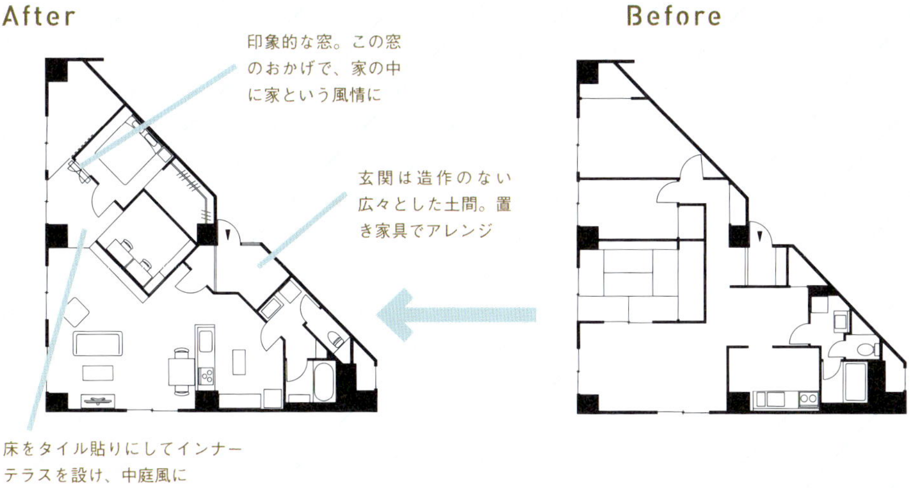
After
Before
印象的な窓。この窓のおかげで、家の中に家という風情に
玄関は造作のない広々とした土間。置き家具でアレンジ
床をタイル貼りにしてインナーテラスを設け、中庭風に

Data

設計：ブルースタジオ	専有面積：85.77㎡
施工：住環境ジャパン	家族構成：2人暮らし（夫38歳、妻37歳）
築年：築38年（集合住宅）	設計期間：1ヶ月強
竣工：2013年8月	施工期間：2ヶ月強

元の内装をすべて取り壊し、スケルトンにしてから間取りを構築。水回りの設備機器もすべて一新。

Before

フィンランドの森にある小さな一軒家を思わせる、〃小屋〃のような個室をマンション内に出現させたUさん宅。細かく部屋が分断されていて暗い印象だった三角形の変形間取りが、明るく開放的な空間に変身しました。

物件探し、不動産仲介からリノベーションまでを「ブルースタジオ」に一括依頼。以前、購入した新築マンションでは満足できず、改めて中古マンションを購入し、リノベーションをするという選択に切り替えました。

夫はグラフィックデザイナー、妻は玩具メーカーでぬいぐるみなどをデザインしているということもあり、「手を動かして何かをつくったり、アイディアを考えたりするアトリエ的な部屋が欲しい」というのが、今回のリノベーションの最大の要望でした。

「飽きないような空間にしたいとの思いもありました」。ふつうは〃飽きない〃というとシンプルに向かいますが、Uさん夫妻の選択は、余白的なスペースをあえてつくって、今後手を入れる余地を残すこと。インナーテラスだったり、家の奥にある三角の小部屋だったり。確かに、一見どう使うんだろうというスペース＝〃余白〃がこの家のおもしろさを生んでいることに気がつきます。夫妻ふたりの自由な発想でどんどん部屋が変わり、個性的に進化していくのが楽しみな住まいです。

アトリエはパソコンスペースであり、実際に手を動かしながら作品を生み出す場所でもあります。本棚の裏にあたる部分は有孔ボードで仕上げ、その穴を使ってUさん夫妻がツールや材料を収納。仕切り壁は上が空いているので視界が抜け、閉塞感がありません。

三角形の頂点にあたる部分から全体を見た様子。本棚の裏がアトリエで、右の白い壁の奥がキッチンと水回りになっています。天井も抜いて高くしたので、開放感がアップ。

アトリエを人が集まる砂場のような存在と位置づけ、「学校」をキーワードに設計を進めました。そこで床も学校を彷彿とさせる、懐かしい雰囲気のパーケットフローリングに。

Q リノベーションを選んだのはなぜ？

以前新築を購入したのですが、満足できませんでした。リノベーションは自由な間取りで、好きなことができるからおもしろそうと決断。実際、図面を見ているだけでワクワクでした。

キッチンは「ブルースタジオ」のオリジナルのシステムキッチン。今までの事例でつくったキッチンの長所を集約しつつ、シンプルなつくりになっています。

インナーテラスに取り付けたポールは、洗濯物を干すためのもの。空間のイメージを崩さないものを探した結果、ガス管を使うことに。「便利なうえにかわいいから気に入っています」。そのうえ安価だそう。

寝室の奥にはウォーク・イン・クロゼット。予算がかかるので大工工事ではつくり込みすぎず、ポールと上の棚だけを設置。「イケア」で購入した収納グッズを加えて、使い勝手を向上させています。

「TOTO」の実験用シンクを洗面スペースで採用。ゴールドのレトロな蛇口は「カクダイ」。市販の洗面システムでは決して得られない、独特なムードがリノベーションならでは。

Q これから挑戦する人にアドバイスするなら？

ディテールも大事ですが、しっかり伝えるべきポイントは家でどう過ごしたいかという点だと思います。なかなか家族で話し合う機会のないことなので、いいきっかけになりますよ。

Q 中古マンションに抵抗はなかった？

この物件は管理や修繕計画がしっかりしているので決断。阪神大震災の被災状況も確認しました。先のことはわからないし、「エイヤ！」という思いきりも必要と感じています。

Uさん宅の北欧エッセンス

自然を内装に取り入れる、とくに白木を多く使うと北欧らしい雰囲気に。北欧を意識していなかったUさん宅も、壁の下見板張りのせいか北欧テイストに。

愛用のカレンダーは、北欧の人気キャラ、ムーミンがモチーフです。小説の挿絵が黒一色でプリントされていて、大人っぽいかわいさ。

リノベーション以前から使っているアトリエの椅子は、アルネ・ヤコブセンのデザインで、通称「アリンコチェア」。北欧のモダンデザインを代表するもののひとつです。

リビングの掃き出し窓はフルオープンにできるので、テラスも合わせてワンルームのように使え、広々。南側が庭と母屋なので、外からの視線を気にする必要がないからこそできた、ぜいたくな住まいです。

大きなガラス窓は壁の中に引き込める形になっています。いちばん目立つ窓なので、思いきって木製サッシに。室内のインテリアとも外の木々とも相性よし。使い勝手などを考えて迷ったそうですが、大満足。

関本さんの自宅が掲載されていた住宅誌をはじめ、インテリア誌、キッチン本などを読み込んで自分たちが好きな空間について確認したり、使いたい部材をピックアップしたりして活用。

Case 09

Oさん宅

気持ちのいい光がふり注ぐリビングに 家族が集まり、仲よくひなたぼっこ

左：キッチンは対面式。リビングダイニング全体が見渡せ、妻のお気に入りの場所です。キッチンの面材はシナ合板。あたたかみを感じさせつつもすっきりモダン。そしてリーズナブル。下：家電も一列にずらりと並べられ、使い勝手よし。

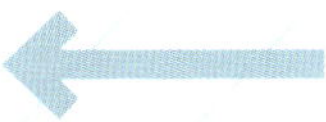

After (1F)

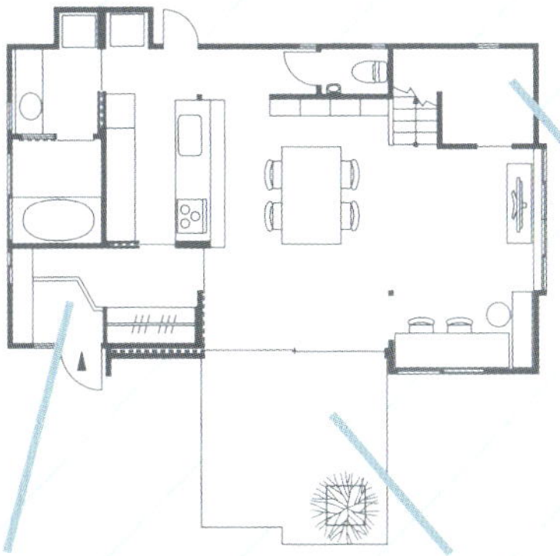

Before (1F)

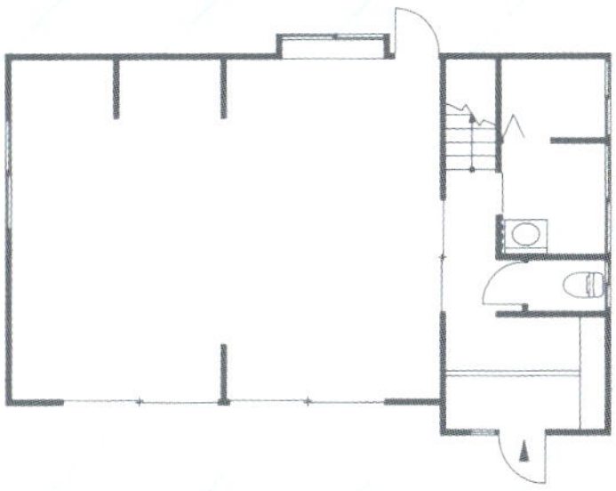

リビングのすぐ横に納戸を設けたおかげで片づく！ 気持ちもラクに

リビングに朝日が差し込むよう、玄関位置を東から西へ移動

デッキが第2のリビング。母屋とつなげるパイプ役にも

Before

1階は納屋、2階は夫兄弟の個室として使うために建てられた離れをリノベーション。土台や柱を残して解体し、大がかりに行いました。筋交いをプラスして耐震補強も。

Data

設計：関本竜太（リオタデザイン）
施工：堀尾建設
築年：築20数年
竣工：2010年3月
面積：92.76m^2

家族構成：家族4人（夫41歳・妻37歳・長女9歳・長男5歳）
設計期間：9ヶ月
施工期間：5ヶ月
工事費：約2000万円

実家の庭に建つ離れに家族4人で暮らすことにしたOさん夫妻。建て替えではなく、リノベーションを選んだ理由は、「せっかく建物があるのだから、もったいないし生かしたい」との思いから。建て替えよりもリーズナブルなのはもちろん、環境にもやさしく、一石二鳥。それがリノベーションの魅力です。

まずはネットで情報収集。数人の建築士に会うなか、「リオタデザイン」の関本さんの自宅を見せてもらったことで、「これだ!」と気持ちがかたまりました。話をしっかり聞いてもらえると感じたのも好印象でした。

「ひなたぼっこをしながら、休日にごろんとできる」、「家族や友だちが自然に一部屋に集まってくる」、「あたたかい雰囲気」。伝えたのは、こういう暮らし方のイメージ。〝北欧〟はキーワードになかったそうですが、好きだと思うものを後から分析すると北欧テイストのものが多かったよう。フィンランドへの留学・就労経験のある関本さんの設計にひかれたのも、自然の流れだったのかもしれません。

外からの視線を気にする必要がない恵まれた立地。そこで南に大きく開口部をとり、つらなるテラスを設けました。気持ちのいい光をたっぷり享受できるだけでなく、母屋に暮らす両親とも自然につながる、オープンで明るい家になりました。

ユニットバスの機能性にもひかれたものの、せっかくつくるのだから、迷ったすえにやっぱり在来工法の浴室に。広々としていて明るく、タイルの美しさが目をひきます。

「家族や友だちが自然に集まる空間に」との願いがそのままかなった、木のぬくもりあふれるリビングダイニング。左奥がキッチンで、作業中の手元が隠れる棚の高さが絶妙です。

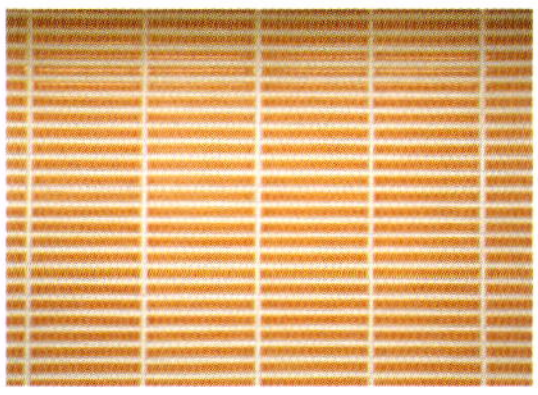

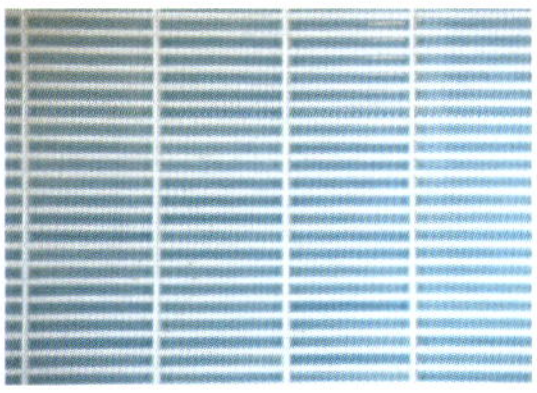

上はキッチンの家電置き場のところに採用したタイル。下は浴室のタイル。キッチンは妻、浴室は夫が色を選びました。やさしい、さわやかな色が足されることでなんとなく北欧テイストに。

上はリビングで採用した信州カラマツの床。木目の質感の凸凹を足で感じられる浮造《うづく》り加工になっています。色味や床でごろりとするときの気持ちよさから選びました。下は2階のパイン材。

天井までの飾り棚兼収納棚は大容量。家族の楽しい暮らしぶりが伝わってきます。フローリング材でつくってもらったテーブルも存在感たっぷりです。

LDの一角にワークスペースがあることで、家族が自然につながれます。父が仕事をする横で、娘が宿題をというほのぼのとした光景も見られるはず。壁は珪藻土クロスを張りました。

料金受取人払郵便

豊島局承認

9460

差出有効期間
平成29年2月
3日まで

郵便はがき

1708790

038

東京都豊島区南大塚2-32-4
パイ インターナショナル 行

書籍をご注文くださる場合は以下にご記入ください

●小社書籍のご注文は、下記の注文欄をご利用下さい。**宅配便の代引**にてお届けします。代引手数料と送料は、ご注文合計金額（税抜）が3,000円以上の場合は無料、同未満の場合は代引手数料300円（税抜）、送料200円（税抜・全国一律）。乱丁・落丁以外のご返品はお受けしかねますのでご了承ください。

●**お届け先は裏面に**ご記載ください。
（発送日、品切れ商品のご連絡をいたしますので、必ずお電話番号をご記入ください。）

●電話やFAX、小社WEBサイトでもご注文を承ります。
http://www.pie.co.jp　TEL：03-3944-3981　FAX：03-5395-4830

ご注文書籍名	冊数	税込価格
	冊	円
	冊	円
	冊	円
	冊	円

ご購入いただいた本のタイトル

●普段どのような媒体をご覧になっていますか？(雑誌名等、具体的に)

雑誌 (　　　　　　　　　　) WEBサイト(　　　　　　　　　　)

●この本についてのご意見・ご感想をお聞かせください。

●今後、小社より出版をご希望の企画・テーマがございましたら、ぜひお聞かせください。

<table>
<tr><td>ご職業</td><td>男・女</td><td>西暦
年　月　日生　歳</td></tr>
<tr><td colspan="3">フリガナ
お名前</td></tr>
<tr><td colspan="3">ご住所 (〒　—　) TEL</td></tr>
<tr><td colspan="3">e-mail</td></tr>
<tr><td colspan="2">お客様のご感想を新聞等の広告媒体や、小社Facebook・Twitterに匿名で紹介させていただく場合がございます。不可の場合のみ「いいえ」に○を付けて下さい。</td><td>いいえ</td></tr>
</table>

ご記入ありがとうございました。お送りいただいた愛読者カードはアフターサービス・新刊案内・マーケティング資料・今後の企画の参考とさせていただき、それ以外の目的では使用いたしません。
読者カードをお送りいただいた方の中から抽選で粗品をさしあげます。

4470 リノベ

2部屋の個室があった2階。今は寝室と子ども部屋に。床はパインの無垢材、壁は珪藻土クロス仕上げ。クロゼットの扉はシナ合板ですっきり、シンプルにまとめました。

「ひなたぼっこをしながらごろり」にぴったりで、日ざしを満喫できるリビングの窓の前は、夫のいちばんのお気に入りの場所だそう。ドイツ「ゴイター」の木馬は、長男の愛用品です。

Q 家具はどうやって選びましたか？

関本さんに相談して、アドバイスをもらいました。椅子は「天童木工」や「北欧家具 talo」で。テーブルは、フローリング材で大工さんに天板をつくってもらい、スタンド脚にのせています。

Q これから挑戦する人にアドバイスするなら？

予算の関係で、コストダウンの気持ちが先にきてしまうこともありますが、後からだとコストが余計にかかります。父からの「中途半端にするな」とのアドバイスは役に立ちました。

Oさん宅の北欧エッセンス

ダイニングには「ルイス・ポールセン」のガラスのライトを2灯段違いに並べて。木のぬくもりある空間をぴりりとモダンに引き締める存在です。

アアルトの椅子はワークスペースで使用。「アルテック」のスツールや椅子のヴィンテージをたくさん扱っている神奈川「北欧家具 talo」で購入。

ムーミンの人気キャラクターが登場する陶器の貯金箱。ほのぼのとした空気感を生むのに一役買ってくれています。ダイニングのオープン棚が定位置。

Switch plates collections

スイッチプレート コレクション

小さなところまでこだわれるから、
こんなにバリエーションが見つかりました。

装飾を排除したスクエアなデザインがかっこよく、マットな質感が新鮮な樹脂製。グレーやブラックもあり。「神保電器」のNKシリーズ。(P36～佐野さん宅)

右と同じもので、プレート×スイッチはともに白をセレクト。こだわりは感じさせるものの、スイッチプレートの存在は主張しすぎず、いいバランス。(P54～Uさん宅)

アメリカのホームセンター「ACE」で販売されているものをネットで購入。スイッチが白、プレートがシルバーという組み合わせが新しい。(P48～小牟田さん宅)

シルバーのプレートに黒のスイッチという組み合わせでちょっと無骨な雰囲気に。いかにもこだわりましたという感じにならないさりげないデザイン。「Panasonic」のもの。(P70～松永さん宅)

定番の金属プレートのスイッチをセレクトし、壁といっしょに真っ白にペイント。安く手軽なアイディア。汚れが気になってきたら、上から塗り重ねればOK。(P42～小林さん宅)

"カチャンカチャン"と入り切りする感じが好きというスイッチはアメリカのもの。ネットで探して取り付けました。洗面所なのでコンセントジャックいっしょに。(P24～渡邉さん宅)

家具用に細くつくられたスイッチを縦にして壁に設置。壁幅の問題で選択した方法ですが、シンプルに主張なく仕上がり、結果的におもしろいアイディアに。(P60～Oさん宅)

Mini ideas collections

ミニアイディア コレクション

リノベーションにまつわる
ミニアイディアをピックアップしました。

洗面所に設置する必要があった給湯器。完全にカバーしてしまうのはNGなので、鉄と木を組み合わせて使用上問題がない、インテリア性のあるカバーに仕上げました。(P24～渡邉さん宅)

ネットで購入したアンティークのフックを玄関に4つ並べて取り付け。下地の有無などの確認が必要なので、リノベーションのときに依頼できればラク。鍵の定位置に。(P94～Hさん宅)

傷をつけてしまった床材をくり抜いて、別の木をはめ込みました。味わいが生まれてくるといいアクセントに。無垢の床だからこそ、できること。(P24～渡邉さん宅)

開き戸に比べて引き戸の取っ手には選択肢が少なく、なかなか、これといったものが見つからないので、シンプルな円形の金具を3つ並べて付け、ポイントに。(P60～Oさん宅)

建物の構造上、取り外せない筋交い金具をあえて見せて空間のアクセントに。カードを飾ったり、なくしたくないチケットを留めたり、マグネットボードのように使用。(P30～石澤さん宅)

毎日触れる場所であり、案外目立つドアノブ。海外やアンティークのものをネットなどで探すのも手です。凝った意匠や、味わい深いものが見つかります。(P24～渡邉さん宅)

予算抑えめ リノベーション

間取りを大きく変えたり、全空間に手を入れたりしなくても

自分たちらしい住まいをつくることは可能です。

それぞれの予算や要望のバランスを取りながら、

思い通りの空間をつくることもあきらめなかった、

そんな魅力的な事例がいろいろ見つかりました。

テーブルとベンチは「フィールドガレージ」にオーダー、椅子は「アーコール」、「天童木工」のものをセレクト。「すべて北欧にするのではなく、自然な感じにミックスしたかったんです」。

Case 01

松永さん宅

予算配分にメリハリをつけて「かもめ食堂」的キッチンを実現

「かもめ食堂」に登場するキッチンのイメージを具現化。カウンター部分は、キッチンの手元が見えず、でも圧迫感のない絶妙な高さにしました。カウンターの上は雑貨を飾ったり、来客時に料理を並べたり、重宝する場所だそう。

L字のキッチンの隅部分の収納スペースは、キッチン側からは使いにくいので、ダイニング側から開けて使用できるようにしました。

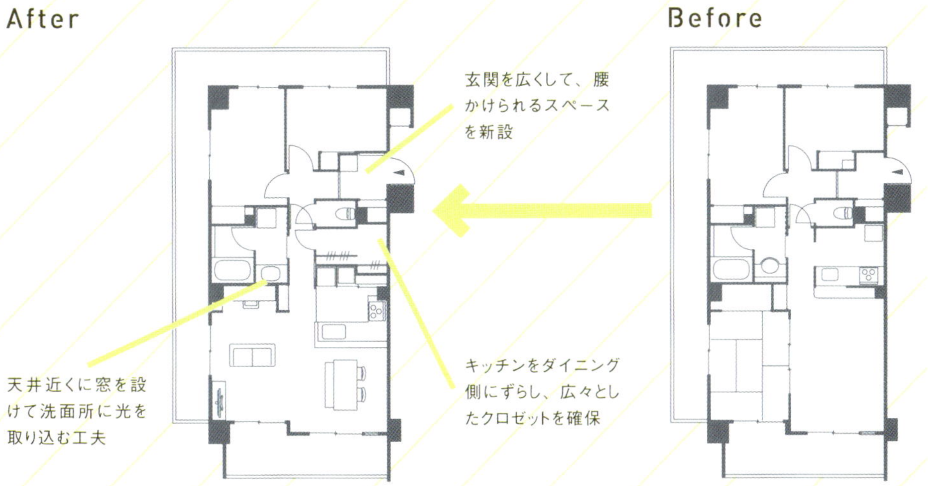

After
Before
玄関を広くして、腰かけられるスペースを新設
天井近くに窓を設けて洗面所に光を取り込む工夫
キッチンをダイニング側にずらし、広々としたクロゼットを確保

Data

設計：フィールドガレージ
施工：ケイプラスエス
築年：築14年（集合住宅）
竣工：2011年8月
専有面積：66.72㎡
家族構成：2人暮らし（夫31歳・妻35歳）
設計期間：1.5ヶ月
施工期間：1.5ヶ月
工事費：約570万円（設計料込み）

ドアは既存のものを生かしてペイント、トイレ＆風呂は変更せずにそのまま使うなどで予算を下げ、オーダーキッチン、無垢の床、塗装壁に集中して予算配分。

Before

天井は取り壊して高く上げましたが、キッチンだけ下がり天井にして心理的な仕切りに。天井裏に仕込んだ照明がつくる陰影のおかげで、情緒あるたたずまいが生まれます。

「システムキッチンで気に入るものがなかったので」、キッチンはオーダー。濃紺のタイルを使ったり、シンク下をごみ箱スペースにしたり。デザインも使い勝手も好みのままに。

生活感が出てしまうので、電子レンジなどの家電類は扉の中に隠せるように大きな収納庫をつくりました。引き出しは「イケア」のものを利用し、予算削減。

夫の涼介さんはインテリアが好きで、自由にいろいろなことができるリノベーションに以前から興味をもっていました。一方、妻の瑞穂さんは、中古マンションに対して不安を感じていたそう。そこでふたりが納得できるよう選んだのが比較的新しく、建物全体から高級感を感じる大型マンションでした。

依頼先の選定にあたっては、雑誌などを見て気になったリノベーション会社、3社をピックアップ。そして予算内で現実的、かつ魅力的な提案をしてくれた「フィールドガレージ」に依頼することに。全体をリノベーションすると中途半端になってしまいそうだったので、個室はあえてさわらず、LDKを中心に予算を配分しながら、つくりたい空間イメージを伝え、打ち合わせを重ねました。

「最初から北欧っぽくしたいと思っていたわけではないんです。でも、どういう家か考えていくうち、ふたりとも映画『かもめ食堂』が好きだと気がつきました。この映画を軸にしたら迷わなくなり、プランもさくさく決まるようになりました」。

リノベーションから3年。「かもめ食堂」を彷彿とさせる空間に心から満足している様子の松永さん夫妻。ふんだんに予算をかけずとも、メリハリしだいでイメージ通りの家になる、そんなことに気がつかせてくれます。

ワークスペースの上に取り付けた窓の向こうは洗面所。窓のない場所なので、リビングからの明かりを届かせる工夫です。チェック柄の型ガラスをセレクトし、アクセント窓に。

Q 正直、失敗したなと思っていることは？

数万円の削減に必死になりすぎたこと。例えば、シンクの蛇口は引き出せるシャワータイプをあきらめたのですが、今となっては「なぜ、けちったの？」と思ってしまいますね（笑）。

ソファの後ろにつくったワークスペースは、リノベーションでぜひともつくりたかった場所。LDKの一部なので孤立はしないけれど、「こもった感じになり、落ち着きます」。

ショールームを回り、自分たちで床材探しも。見つけた材自体は予算に合いませんでしたが、見本でイメージを伝え、同じ雰囲気のものを探してもらいました。オークの無垢材。

Q 大変だったことはなんでしたか？

リノベーションの費用を、金利の安い住宅ローンに組み込んだので、工事内容を早く決めねばならず、物件購入から依頼先決定までが短期間だったこと。本当にバタバタでした。

Q リノベーションで楽しかったことは？

自分が思ったこと、好きなことが実現していく過程が楽しかったですね。間取りを考えたり、素材や色を選んだり、妄想しほうだいで、その時間が幸せでした。

既存の洗面システムが好きになれなかったので、シンク、木製天板、モザイクタイルをそれぞれ選んで造作。湿気の多い部分なので、調湿効果のある珪藻土塗りの壁に。

窓のない玄関に自然光を入れるため、個室との間の壁に窓を。チェックの型ガラスを選んだので、中は見えず、でも光は入るように。ちょっと座れるベンチも新たに造作。

雑誌や本はリノベーションの依頼先を決めるときに役立っただけでなく、空間イメージを伝えるときにも大活躍。読み込んだ本にはふせんがいっぱい。

既存のドアのデザインがよかったので、ペイントして活用。色を決めるのは本当に迷ったそうですが、松永さん宅の空間によく合うテイストに。手前は淡い水色、奥はブルーグレー、リビングドアは濃紺を選びました。

松永さん宅の北欧エッセンス

「マリメッコ」のティーポットや皿、アンヌ・ブラックがデザインした白い皿など北欧のものと、日本の作家の小皿、ドイツのポットをミックス。

神奈川にある「北欧家具talo」で購入したヴィンテージの照明。「PHライト」のなかでも小型なので、大げさにならず、かろやかな空間に合います。

元々リビングダイニングの横に個室がある間取りでしたが、壁を取り払って大空間に。間取り変更は基本ここだけにしたのも、低予算リノベーションが成功した要因です。

「絶対にこだわったほうがいいのは床！」と安田さん。面積を占める分、空間の質に大きくかかわります。節が少なく、明るい樹種が気に入り、無垢のオーク材をセレクトしました。

窓際にあるベンチのような段差は、元からあったもの。味けない風合いのピカピカの板が張ってあったので木で覆ってしまい、白くペイント。飾ったグリーンが映えるコーナーになりました。

安田さん宅

低予算でもここまでできる! 自分が動いて、思い通りの住まいに

ソファ側にもダイニング側同様ベンチのような段差が。ここも真っ白にすることでシンプル空間に。ソファ、テレビ台、サイドテーブルは「カーフ」で購入。

After

キッチンに出入りするための扉はふさぎ、家具が置けるように
洋服用クロゼットがリビングにあると動線がよく、案外便利
壁を取り払い、広々としたリビングダイニングに間取り変更

Before

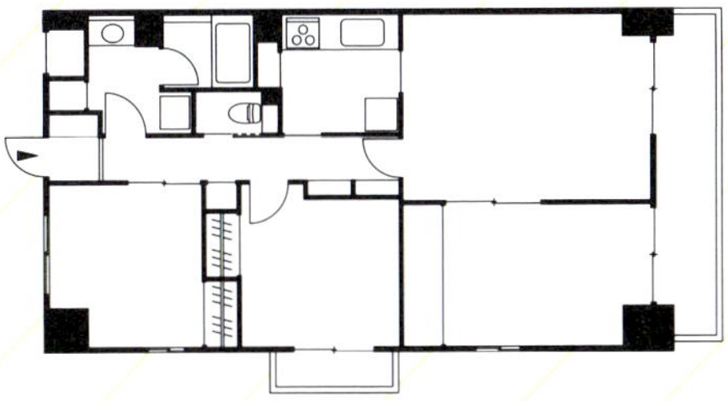

Before

リビングを仕切っていた壁を取り払い、キッチンの扉を壁に変更。間取りは大きく変更せず、かわりに給湯器、浴室ユニットを含め、水回りの設備機器はすべて一新。

Data

築年:築16年(集合住宅)
竣工:2012年1月
専有面積:71㎡
家族構成:2人暮らし
設計期間:1.5ヶ月
施工期間:1.5ヶ月
工事費:約400万円
(設計・デザイン料なし)

個室に付いていたものをそのまま生かし、この位置に洋服クロゼットを。間取りをあまりいじらないためのアイディアではありましたが、動線上も都合よく、結果オーライで便利でした。

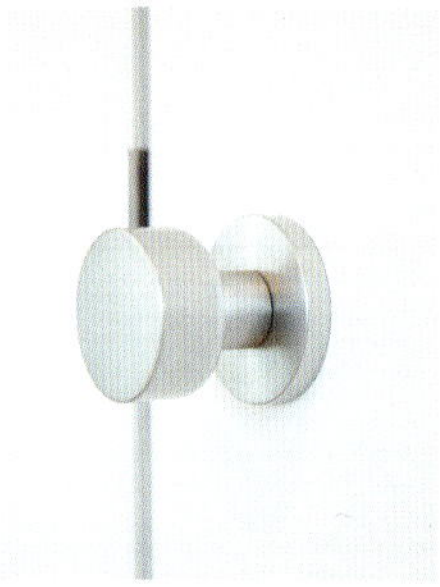

ドアはこの空間に合うようにつくってもらいました。ドアノブはあちこち探しましたが、最終的には「無印良品」で見つけたシンプルなものに。

リビングダイニングなどの壁は珪藻土塗りに。質感がでないよう、あえてフラットに塗ってもらっていますが、クロスとは光の映え方が違って美しく、やっぱり壁にこだわったかいがあったと感じるそう。

「北欧っぽい空間にしようと、あえて意識はしてないですよ」と笑う安田さん。とはいえ、「北欧、暮らしの道具店」というネットショップでバイヤーを勤めているだけあって、北欧テイストは間違いなく安田さんの好み。空間全体から北欧的な雰囲気を感じます。

安田さんが目指したのは、癖のない空間。家具や雑貨を置いて、住まいは完成するものなので、内装自体には主張がないほうが、置いてあるものが映えるという判断です。

こだわりたかったのは、無垢の床と珪藻土塗りの壁。そして、古くなっていたキッチン、浴室などの一新でした。スケルトンにはしないまでも全体のリノベーションで、それなりに金額がかかる要望なのに、工事総額は約400万円に抑えたというから驚きます。

見積もりは4、5社から取り、金額に合いそうなところに依頼を決定。安く対応してもらう分、デザイン部分のフォローは望めなかったので、タイルひとつからキッチンまで、パーツや設備機器を自ら探し、自ら購入。施主支給という形式で業者には現場施工を中心にお願いしました。ふだんからものを選び、取引先と交渉をしているバイヤーだからこそ、できたこと。「予算も時間もなかったので、本当に大変でした。でも、我慢したところはありません」と大満足の仕上がりになりました。

キッチンには、「サンワカンパニー」のシステムキッチンを採用。無駄なデザインがなく、リーズナブルな価格が選択の理由です。窓のない場所なので、白を基調にし、明るい雰囲気を目指しました。

この壁には廊下からキッチンに出入りできる扉があったのですが、不要だと考え、ふさいでもらいました。おかげで電子レンジ台を兼ねた大きめの棚が置け、収納スペースをしっかり確保できました。

キッチンのタイルはいろいろ悩んだすえに明るく見えることを優先して、白を採用。小さいモザイクタイルにすると甘い雰囲気になってしまうと考え、「名古屋モザイク」の縦長のものを。

Q これから挑戦する人にアドバイスするなら？

時間と予算の関係で決めた依頼先でしたが、施工が手抜きで鏡が落ちてきたり、スケジュール内に終わらなかったりと大変なことも。依頼業者選びは慎重にしたほうがいいと思います。

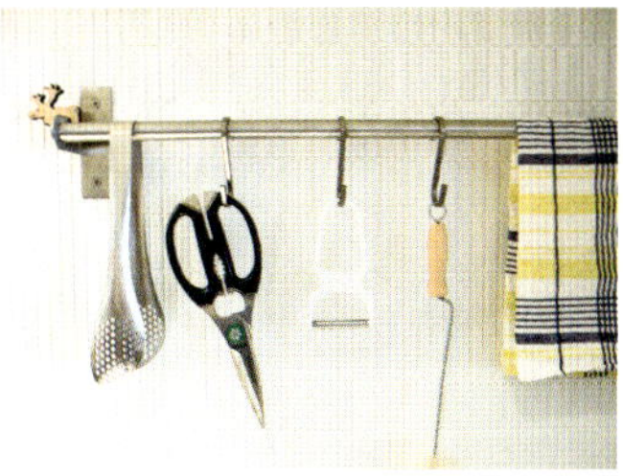

壁には「イケア」で購入したポールを設置。デザインにもこだわって選んだツールやクロスを見せながら収納できる場所です。

木製天板の洗面所にあこがれて実現。シンクは「サンワカンパニー」、円形のミラーは「イケア」で購入しました。上下に取り付けた照明がおしゃれな雰囲気づくりに一役買っています。

リビングドアを含め、個室、トイレなどの扉はそのまま使い、白く塗り替え。自力で行い15万円の節約。「3度塗りが必要で時間もかかり、依頼すればよかったと思うほどハードでした」。

こだわりある住まいづくりの様子がわかる本やムックを参考にしました。『おうちの本』(内田彩仍著)、『イェンセン家のマンションDIY』(イェンス・イェンセン著)。

「ガチャ柱」と呼ばれる支柱を壁に取り付けて、洗濯機の上に棚を設置。棚板の移動、増設が簡単で安価なので、リーズナブルなリノベーションに活躍。

Q 家具はどうやって選びましたか？

仕事柄、展示会に行くことも多いうえ、取材にも出向くので、情報はいろいろ入ってきます。こだわって探しちゃうタイプなんで、インテリアショップもあちこちチェックしました。

洗面所の壁のタイルは、フェミニンな印象にならないよう、グレーを選択し、シックさをプラス。ちょっとした色づかいで雰囲気が変わります。

後から工事を追加して玄関のたたきをリニューアル。工務店から業者を紹介してもらい、直接発注し、3万円ほど。チョコレート色のタイルに白い目地がかわいい印象です。

せっかく壁紙を替えるならと、トイレは思いきったチョイスにし、一面をエンジ系茶色、奥面はグレー。低予算ながら、ガラリと雰囲気が変わりました。トイレの機器はネットで購入。

安田さん宅の北欧エッセンス

イルマリ・タピオヴァーラの「ファネットチェア」はヴィンテージのもの。黒と木の組み合わせでモダンさとぬくもりの両方を兼ね備えます。

「朝食の後のパンくずの掃除にささっと活躍してくれてます」。手仕事でつくられた北欧の道具は機能性だけでなく、ぬくもりがあるのが魅力。

キッチンに置いているブレッドボックスは、勤め先の「北欧、暮らしの道具店」でも人気アイテム。パンやお菓子をすっきりと収納。

動物の陶器のオブジェが人気のリサ・ラーソンですが、安田さんがセレクトしたのは船型のもの。リビングの本棚の一角に飾っています。

キッチンの前に、壁とキッチンカウンターを造作。そして、そこにつながる形で小上がり的台座を設置しました。カウンターや冷蔵庫スペースの裏にあたる壁の白木の美しさが印象的です。

すげさわさん宅

北欧の森をイメージさせる白木空間で ちゃぶ台を囲み、ほっこりくつろぐ

「白木の空間に色やテキスタイルがプラスされている様子が、北欧を旅したときの印象に残っていて」。自宅でもその雰囲気を再現。ベースがやさしいイメージなので、赤やグリーンなどの色が映えます。

台座のおかげでつかまり立ちの歩野子ちゃんと、キッチンで作業するすげさわさんの距離感がぐっと近く。ちゃぶ台での食事はほっこりと和みのムードです。

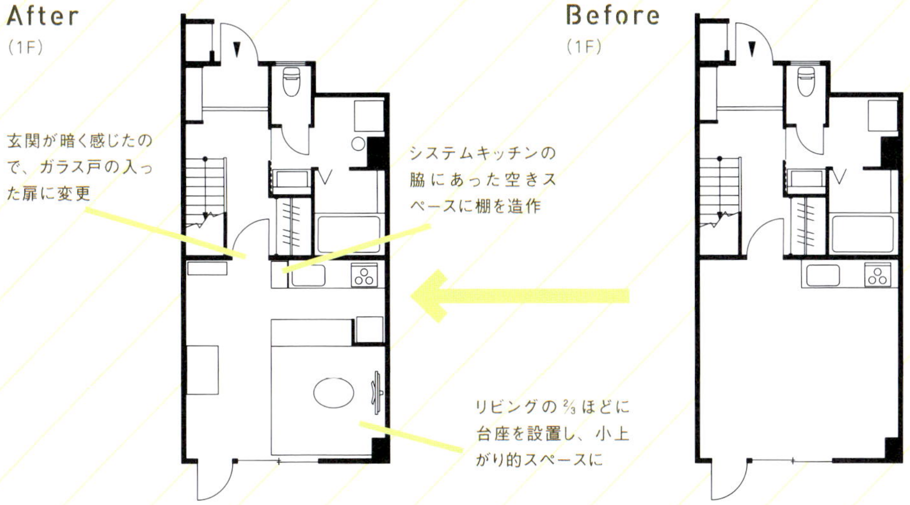
After
(1F)
玄関が暗く感じたので、ガラス戸の入った扉に変更
システムキッチンの脇にあった空きスペースに棚を造作
リビングの⅔ほどに台座を設置し、小上がり的スペースに
Before
(1F)

Data

設計：井田耕市
施工：design 1108
築年：築39年
竣工：2010年8月
専有面積：83.24㎡
家族構成：3人暮らし
(夫36歳・妻40歳・長女1歳)
設計期間：約2カ月
施工期間：約1カ月半

新築並みにフルリフォーム済みの物件だったため、台座とオーダー家具の設置がメインのリノベーション。床材はそのまま生かし、リビングの壁は自然塗料塗りに。

Before

新品のキッチンがすでに入っていたので、機能面は生かしつつ、デザインをこの住まいに合うように変更。前面の扉を替えただけで北欧テイストの空間によく合う風情になりました。

生活感を感じさせる冷蔵庫や電子レンジはカウンターの中や壁の裏に隠し、リビング側から見えないよう工夫。広いカウンターのおかげで、料理の盛りつけやお茶の準備もスムーズです。

吊り戸棚は、元々付いていた金具を生かし、金具に合わせて扉を製作。元のものをできるだけ無駄にしない工夫です。使い勝手のよさもキープできています。

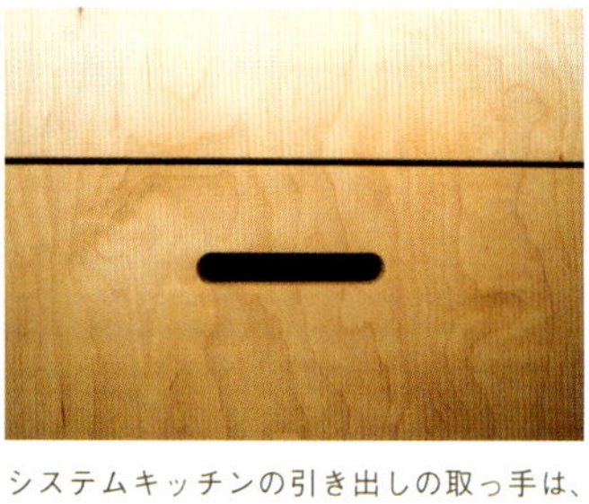

システムキッチンの引き出しの取っ手は、ノブなどをつけるのではなく、くり抜いただけ。開閉しやすく、シンプルデザインのキッチンにぴったりのアイディア。

リビングの台座の下は収納スペース。子どもの絵本やおもちゃ、ブランケットなどを収納。引き出し１つはあえて空けておき、急な来客時のものの退避場所に。

キッチンと扉の間には幅30cmほどの空きスペースがありました。そこを生かすべく棚を造作。キッチン側には調味料やツール類を収納し、扉側は本棚に。このおかげでキッチンがすっきりし、目隠しにも。

すげさわさんが、北欧を旅して描き上げたイラスト旅日記『北欧トラベルダイアリー』（河出書房新社刊）。色づかいなど、北欧テイストの空間づくりの参考になります。

Q 中古マンションに抵抗はなかった？

すでに完全にリフォームされた状態だったので、スケルトン時の様子や何を交換したのかなどを確認したうえで購入を決めました。水回りなどに保証が付いていたのも安心でした。

イラストレーターとして活躍するすげさわかよさんが、家族で暮らすための住まいとして選んだのは、大好きな街で見つけたレトロなマンション。以前から、かわいいと気になる存在の建物だったのだそう。駅からも近く、庭もあり、メゾネット式と条件もばっちりでしたが、残念なことに新築マンションのようなリフォームがされていました。でも、そこはあきらめず、自分たち好みのテイストにすべく、改めてリノベーションを決行。依頼したのは設計士の井田耕市さんです。

「自著のために北欧に1ヶ月ほど滞在したことがありました。そのときに気に入ったホテルの内装の写真などを見てもらい、〝北欧の森〟というイメージを伝えました。あわせて〝ちゃぶ台のある床での暮らし〟という夫からの要望も」とすげさわさん。ふたりの願いを汲んだうえで、井田さんから提案されたのが、小上がり的台座をしつらえた白木空間でした。台座のおかげで、キッチンに立つ人と床に座る人の目線の高さが合うつくりに。またメープルの美しい白木の肌合いが生きた家具のおかげで、すげさわさんが旅で買ってきた思い出のものやアクセントとなる色が映え、北欧を彷彿とさせるたたずまいになりました。

新しく家族の一員になった歩野子ちゃんと3人、ハッピーな暮らしが進行中です。

手を加えていなかった洗面スペースは住んで1年ほど経過したころに、「落ち着いた色がよくて」、ラベンダー色に壁をペイント。スツールは「イケア」で購入したもの。

森をイメージしたグリーンの壁は夫婦ふたりで塗装。2階に上がる階段の手すり壁を取り払ったら中から建築当時の手すりが登場。雰囲気がよかったので木部は磨き、金属部は塗装して使用。

Q リノベーションで大変だったことは？

家への愛着が増し、予算削減になるので塗装は自分たちで行ったのですが、2階部分は天井も高く、とにかく大変でした。でもそれも今では思い出。壁に愛着わきすぎて引っ越せませんね。

打ち合わせの資料用に北欧で撮ってきた写真を貼ったり、すずさわさんがイラストを描いたりしたノート。「自分のなかで方向性を整理できたのがよかったと思います」。

色をところどころに取り入れているのがすずさわさん宅のかわいいところ。リビングに飾った「フレンステッド」のモビールはいただきもの。すずさわさん宅らしい色づかいです。

壁は階段の上までグリーンにペイント。北欧の森から木の枝が飛び出しているイメージの照明がいい味と適度な陰影をプラスしてくれています。

トイレの壁はオレンジ色にし、楽しげな空間に。カフェカーテンにしているのは、スウェーデンで購入してきたヴィンテージのクロス。壁との色合わせも抜群です。

Q これから挑戦する人にアドバイスするなら？

工事は遅れることもあるので、それは見越しておくといいと思います。私たちは塗装をするための時間の余裕がなくなり、ブルーシートに覆われた空間に引っ越してきてしまいました。

すげさわさん宅の北欧エッセンス

左：ぬくもりある小さな木べらやバターナイフ。北欧の旅の折、自分へのおみやげに選んだものです。びんに挿してキッチンの棚の中へ。右：フィンランドの市場で見つけたパイン（マツ）材のかごも日々の暮らしで活躍。フルーツや野菜などの保存に使用しています。

上：「ヘルシンキのカフェで、このボウルで白いスープが出てきて。『ティーマ』は前から知っていましたが、実際に使われている様子を見てまねしたいと思いました」。左：「ノアの方舟」をテーマに動物が描かれた皿は「アラビア」のヴィンテージです。

子どもが小さい今のうちだけ、床にカーペットを敷いていますが、板張りの天井のおかげで木の質感を十分に満喫できます。空間がひき締まって落ち着きももたらしてくれました。

郷さん宅

気持ちのいい空間にしたいから ″素材感″にこだわった上質リノベーション

インテリアショップ巡りが好きな郷さん夫妻。そんななかで出会った「ハンター・ダグラス」のバーチカルブラインドを窓に設置。すっきりモダンで、上質感が漂うセレクトです。上部に埋め込んだ照明との相乗効果もあり、いい雰囲気。

壁に造り付けた、飾り棚を兼ねた収納家具は、ダイニングの雰囲気と合わせ、チーク材で。扉3枚の木目が上から下まで揃うよう張ってあるこだわりっぷりが見事です。

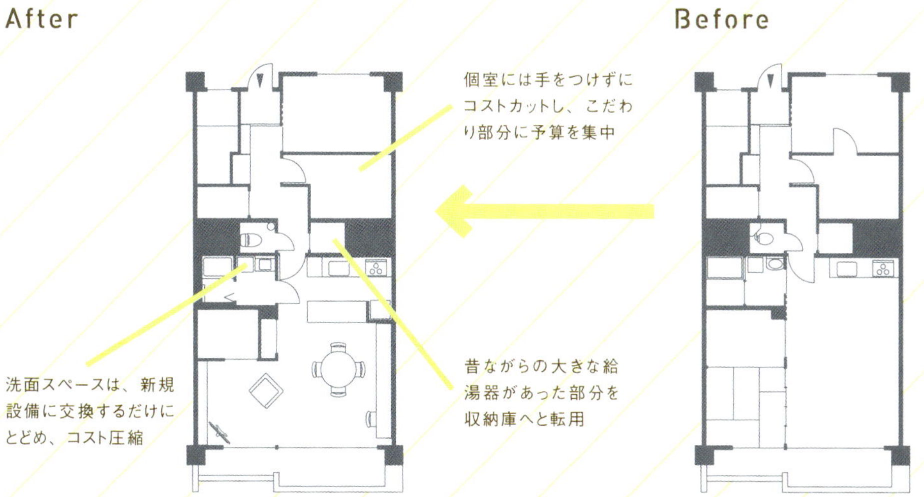
After
Before
個室には手をつけずにコストカットし、こだわり部分に予算を集中
洗面スペースは、新規設備に交換するだけにとどめ、コスト圧縮
昔ながらの大きな給湯器があった部分を収納庫へと転用

Data

設計：ファロ・デザイン
施工：渡部住建
築年：築44年（集合住宅）
竣工：2009年3月
専有面積：74.55㎡
家族構成：家族3人
（夫40歳・妻40歳・長女1歳）
設計期間：2ヶ月
施工期間：1.5ヶ月
工事費：約575万（設計料別）

素材感にこだわりつつ、抑えめの値段でリノベーションをするために、そのまま使える個室やシステムキッチンは生かし、予算配分にメリハリをつけました。

キッチン本体はまだまだ使える状態だったので生かすことにし、扉材だけほかの家具と同じチーク材に変更。キッチンがワンランク上のたたずまいに大きく変身しました。

キッチンに対面するように造り付けたカウンターは、キッチン側から見るとオープンな収納棚。食器だけでなく、電子レンジやごみ箱も収まる形にし、すっきり。

左：造作家具には積層材を使って、その木口もデザインとして生かしました。角もきっちり合わせてあるので、美しい仕上がり。右：ノブをつけず、彫り込み部から開閉。このこだわりのおかげでシンプルな意匠に。

Q 中古マンションに抵抗はなかった？

新しさより、リノベーションができることに魅力を感じました。以前から見知っていた建物で管理のよさがわかっていましたし、耐震補強が完了していたことも安心材料でした。

床は、すっきりモダンに見えるオークの無垢材。「ニッシンイクス」のもの。LDには今はカーペットを敷いていますが、再びこの床を家全体で味わえる日を楽しみにしています。

「賃貸時代にすぐそばに住んでいたんです。いつもきれいにしているマンションで安心だなぁと思っていました」と郷さん。ゆったりした敷地に豊富な緑。環境もよく、古いながらも好感をもっていたマンションが売りに出ていることを知り、購入を決断。じつはほかの中古マンションはいっさい見ず、一軒目の内覧で決意したのだそう。

そして、リフォーム専門会社にプラン&見積もりを依頼。一方で、以前からいいと思っていた建築事務所「ファロ・デザイン」にも相談。リノベーションを建築事務所に依頼すると高くなってしまい難しいかと躊躇していたのですが、前者に比べて圧倒的に提案がよく、手を入れる箇所を絞って依頼することを決めました。

夫婦ともに好きなルイス・バラガン邸で上質な素材が使われている様子にひかれ、いちばんこだわったのは「素材感」。壁は珪藻土、床と天井は無垢材張り。造作する家具は元々持っていた北欧テイストのヴィンテージ家具の質感と合わせる形でプランをつくってもらいました。パッと見ただけでは同じに見えても、その空間で暮らし、毎日見て触っていると素材感の違いは、気持ちの豊かさにつながります。「よく見るとぜんぜん違って、やっぱりいい。素材は大切だと実感しています」。

キッチンに平行する形でカウンターを設置。冷蔵庫を隠す壁もつくったので、生活感を感じさせません。ダイニング側の造作家具と材を揃えているので空間全体に統一感も生まれました。

天井まで壁一面を造り付けの棚に。雑誌、本、CDなどに合わせて棚の高さを決め、さまざまなものを収納できるように。奥の白い壁を生かしたデザインなので、圧迫感がありません。

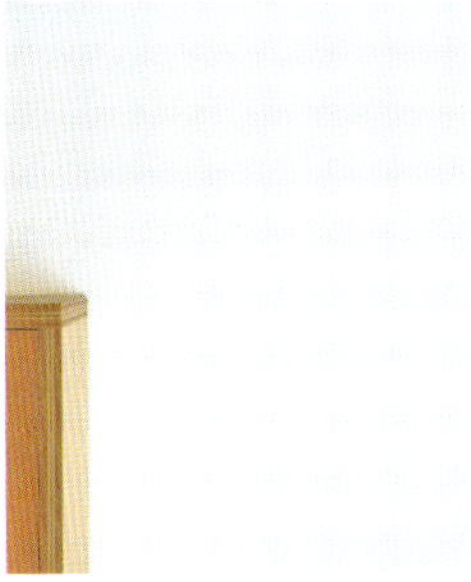

上：珪藻土塗りの壁は当初からの願い。「新築のモデルルームに入ったときと空気感がぜんぜん違って、気持ちいいです」。下：クロゼットの扉はシナ合板を白くペイントし、拭き取った仕上げで壁のように見せています。

窓から見える豊富な緑。マンション内に植えられた木々も見え、古いマンションならではのゆとりを感じます。天井に板を張っても圧迫感がないのは、この開放的な眺望のおかげ。

郷さん宅の北欧エッセンス

ダイニングの造作棚に飾られていたのが、リサ・ラーソンのオブジェ。下から見上げる猫の視線が心をひきつけます。

ヴィンテージの椅子はネットで購入。「はっきりしないですが、たぶん北欧のもの。座面を張り替えながら愛用中です」。

Q 正直、失敗したなと思っていることは？

音のことをあまり考えていなかったのですが、新しいマンションに比べ、階下に響くようです。それを考慮して、床下に防音対策を施すなど工夫してもよかったなと思っています。

Q 北欧テイストは意識した？

まったく(笑)。とはいえ、元々持っていた家具は北欧のヴィンテージ品だと思いますし、木の素材感やシンプルさにこだわったところが北欧っぽいのかもしれませんね。

入室したとたんに感じる浄化されたような空気感や自然素材のぬくもりのおかげで、心がほっとする気持ちよい空間。テーブルとベンチは木工作家、西本良太さんに、チェストは兵庫県にある「calanthe」にオーダーしました。

面積が広い壁は自然素材にこだわりました。木のチップをすき込んだ壁紙「オガファーザー」に、100%天然の塗料「デュブロン」をペイント。調湿効果があり、一年中さわやか。

この空間と相性がぴったりの北欧テイストの椅子は「柏木工」のもの。「デザインがいいのはもちろん、日本人の体に合っているようで、ショールームで座ったら体がラクで即決でした」。

Case 05

Hさん宅

自然素材にこだわって、心と体に気持ちいいシンプル暮らし

キッチンはそのまま使っていますが、扉が重いイメージのこげ茶色だったので、上から真っ白な「ダイノックシート」を貼って一新。新規設備を導入したかのような美しい仕上がりです。食器洗い機は新調しました。

After

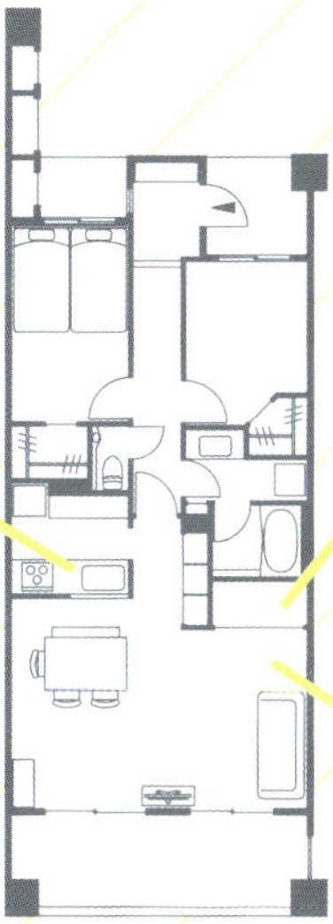

新空間に合わないテイストだったカウンター材は撤去

元の押し入れをクロゼットに。内部も使いやすく棚を追加

和室をなくし、広々したリビングに

Before

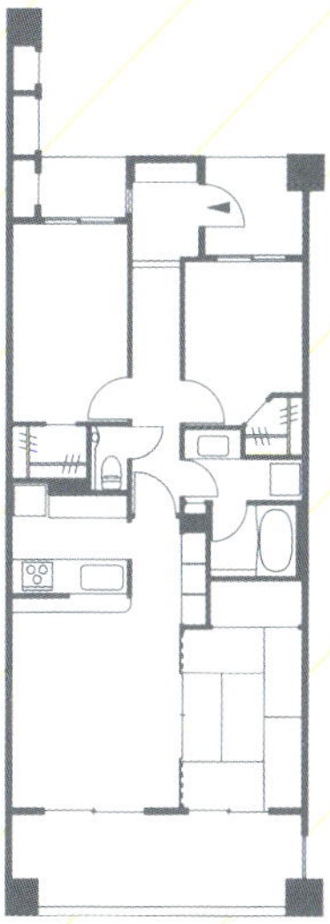

Data

設計：井田耕市
施工：design 1108
築年：築8年
竣工：2012年12月
専有面積：73㎡
家族構成：4人暮らし
(夫39歳・妻41歳・長男6歳・長女2歳)
設計期間：約1ヶ月
施工期間：3週間
工事費：約400万円(設計料・テーブル&ベンチ含む)

新しいマンションなので、解体は必要最低限。床材は既存の床の上に張り、扉はペイントして再使用。水回りの設備機器は一部化粧直しをして、そのまま利用。

Before

シックハウス症候群を懸念して、新築マンションに漠然とした不安をもっていた、アレルギー体質のHさん。「それなら体にやさしい素材を使ったリノベーションを選択したほうがいいのではと考えました」。

リノベーションを依頼したのは、設計士の井田耕市さん。人気のカフェや雑貨店などを多く手がけ、どの空間も心地よさを感じるできばえ。この人なら自分が思い描く住まいを実現してくれると確信しました。「空間づくりのセンスはもちろん、人柄が本当によくて。こちらが不安を口にすると『大丈夫です、ご安心ください』と、ていねいにフォローしてくださり、ありがたかったです」。施主にとっては初めての経験ばかり。それをやさしく受け止めてもらえる安心感は大きかったようです。

予算削減のため、塗装は自分たちで決行。友人や親の手も借りましたが、最後は結局プロの仕上げも依頼することに。プロの仕事を素人が行う難しさを身をもって知り、職人技のクオリティーの高さを実感したそう。「すべての塗装が終わって家に入ったときの感激と、ほっとした気持ちは忘れられません」。

こうして体にやさしく、すがすがしく気持ちのいい空間が完成。これを機に以前から憧れていた、ものが少ないシンプルな暮らしを実現し、快適な日々を送っています。

ものを外に出さないシンプル暮らしを希望していたHさん夫妻。大容量のクロゼットはそのまま生かし、扉だけ交換しました。天井までの大きい扉にしたおかげですっきり見えます。

和室をつぶし、広々としたリビングを実現。床はメープルの無垢材に、オイルと蜜蝋ワックスをミックスした「ビボス」を塗って仕上げてあります。和室をなくすので、いろいろな姿勢でくつろげる大きなソファをセレクト。東京・目黒にある家具店「HIKE」のオリジナルです。

右：ソファ側のクロゼットは、奥行きの深い元の押し入れ。棚板を増設し、収納力をアップさせました。左：廊下寄りのクロゼットには、長男専用コーナーを。「ここは好きに使わせています」。さっと片づけられる場所が近くにあることで、リビングが散らかりにくく。

予算オーバーの減額調整として、目立つ部分で使う床材と個室のものを区別。右はリビングで採用した幅130mmで木目のシンプルなもの。左は個室で採用した幅90mmで木目の強いもの。比べると印象は違いますが、同じメープル材なうえ、別の場所なので違和感なし。

扉は一からつくるつもりでしたが、予算削減案として元々の扉の下部をカットし、ペイントして使うことに。すべて同じブルーグレーにするとしつこいので、水回りの扉は白を採用。北欧シックのタッチが加わりました。

寝室も妥協せず、無垢の床材と「オガファーザー」の壁に。材に差をつけすぎると個室に入るたびがっかりしますが、そんな心配はゼロ。おかげで北向きの部屋でもさわやか。

Q 中古マンションに抵抗はなかった？

アレルギー体質のため、新築にやや不安があり、中古を選択。とはいえ、30〜40年は住むことになる場所なので、本当に古いものは不安が拭えず、管理状況を確認したうえで、新しめの物件に。

Q これから挑戦する人にアドバイスするなら？

塗装部分は自分たちで作業しましたが、クオリティー高く仕上げることの難しさを実感。値段が高い＝プロの力が必要なものだと考え、安易な決断はしないほうがいいと感じました。

Q 北欧テイストは意識した？

落ちついた雰囲気で飽きずに暮らせ、居心地のいい部屋を目指しました。設計士の井田さんとの初回打ち合わせの際に、"北欧シックのイメージ"と伝えていました。

左：「交換不要かとも思ったのですが、井田さんに替えたほうがいいとアドバイスされました」という玄関収納の扉。白い壁、無垢の床に似合う端正な仕上がりで、大正解でした。右：フックは井田さんが見つけてくれたアンティークのもの。

Hさん宅の北欧エッセンス

フィンランドに旅した友人のおみやげは「マリメッコ」のクッションカバー（手前）。カラフルなものも多い柄ですが、シックな色でこの空間にぴったり。

玄関の小窓に置いたブルドッグは、リサ・ラーソンの陶器のオブジェ。一見、不細工なのかと思わせつつ、目が離せない愛らしさが魅力です。

アラビアの「Hometown」シリーズのマグは、2012年の限定品。ヘルシンキの街が描かれています。「4種類あって4人家族にぴったりなのと、ヨーロッパの街並みが好きなので」。

北欧家具が映えるシンプル空間。「カラフルな色が好きで、増やしがちなのですが、『ケーズプロジェクト』の小野さんが上手に導いてくれました」。カウンターの向こうはSOHOスペース。

Case 06

Sさん宅

暮らしの快適さを追求しながら、北欧デザイン家具がマッチする空間に

本や雑貨が好きなので、飾りながら収納できる見せる棚をリクエスト。SOHOスペースと合体させて実現しました。棚の奥の壁紙に水色を採用したおかげで、ハードになりがちな本棚のイメージを柔らかく見せることに成功。

積層合板の層を、デザインとして見せる形に。無垢の板を使うより安価なうえ、ぐっとモダンな印象に。この部屋の雰囲気にぴったりです。洋書は表紙を見せ、飾りながら収納。

After

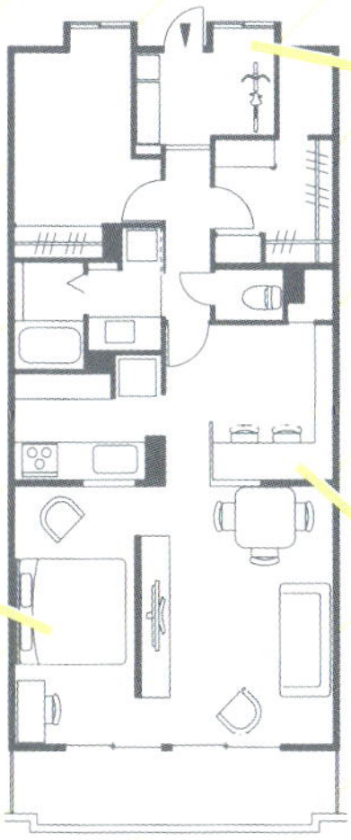

個室を狭め、自転車やベンチを置ける広々した玄関に

明るくて、風通しのいいリビング側に寝室を移動して快適に

SOHOスペースとLDの間の壁はカウンターにし、つながりを確保

Before

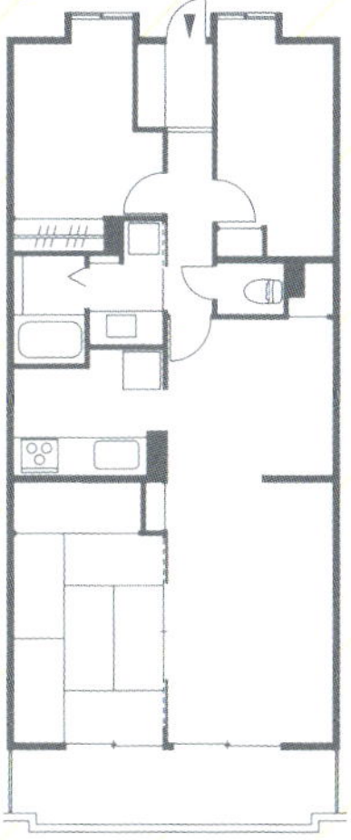

Data

設計：ケーズプロジェクト
施工：ケーズプロジェクト
築年：築20年（集合住宅）
竣工：2012年10月
専有面積：72㎡
家族構成：2人暮らし（夫40歳、妻43歳）
設計期間：2ヶ月
施工期間：1ヶ月
工事費：450万円（設計料込み）

洗面所、浴室など、水回りは以前にリニューアル済みだったので、基本的にノータッチ。スケルトンにせず、元の間取りを生かしつつ、コストを抑えました。

Before

リビングダイニングと寝室を仕切っている壁。立っていてもベッドは見えず、かつ圧迫感のない絶妙な高さ。SOHOスペースの本棚と同じ水色の壁紙を貼り、空間のアクセントにしています。

マンションのモデルルームで見た椅子、好きな映画など、「おっ!」と思うものがすべて北欧に関係すると気がついたSさん夫妻。北欧にひかれ、リノベーションの依頼先探しのときも、〝北欧〟で検索したといいます。

独自に依頼先を探す一方、家づくりのサポートをしてくれる第三者機関も利用。いくつかの提案を受けたなか、提案力の高さと話をしっかり聞いてくれる姿勢などから、「ケーズプロジェクト」に依頼を決めます。最終的にはネットで自分たちで見つけた会社でした。

すでに数年暮らしている住まいだったため、快適な睡眠が得にくい寝室、狭くて出入りがしにくい玄関など、この物件の問題点は熟知。それらを解消すべく、テイストだけでなく暮らしやすさにも留意しました。

「寝室をリビング側にもってくるという大胆な間取りにしましたが、本当に気持ちよく寝られるようになりました。しっかり仕切ってはいるけれど、空間はつながっているので広々感じますし、よかったです」。

たくさんの雑誌を見てイメージを固めてつくり上げた空間。じっくり選んだ上質な北欧家具が置かれ、ザ・北欧テイストの住まいが完成です。「快適になりすぎて、旅に出るときのホテル選びに困ります」との言葉がでるほど、充足した住まいになりました。

ゆったり大きいベッドも置ける寝室。壁に北欧のファブリックパネルを飾り、ベッドリネンにもこだわり、快適度をさらにアップ。奥にある窓の向こうがキッチンになっています。

「スワンチェア」は夫婦の好きな色を１脚ずつ購入（もう一脚は寝室に）。「ソファ探しの旅は長かった」そうですが、最終的にウェグナーがデザインした、シンプルな「GE259」をセレクト。

無垢にもひかれたそうですが、ウッド調のフロアタイルを採用。「浮いた金額をほかに活用しました」。滑りにくく、キャスター傷もつかず、ベストの選択だったそう。

リノベーションの参考にしたのは、インテリア雑誌。好きな写真にふせんをたくさん付けて、担当者にも見てもらいました。『エル・デコ』、『北欧スタイル』などが定番。

トイレはリニューアル済みだったので、壁紙だけ交換。一面だけ柄ものにし、ワクワクする空間に。狭い個室だからこそ、ちょっとしたチャレンジも可能です。

自転車の向かい側にはベンチソファも置けたので、靴をはくなどの準備もラクラク。ベンチ横の壁にはニッチもつくり、ちょっとした雑貨を飾って、来客の目を楽しませます。

通り抜ける程度の広さしかなかった玄関に不満があったので、個室に一部食い込む形で玄関を広げました。窓のある明るい玄関になっただけでなく、置きたかった自転車のスペースも確保。

以前は結露が気になっていたので、既存のサッシの前に新たにもうひとつサッシを付けて二重サッシに。冷気・暖気を逃がさず、省エネにも貢献してくれます。

玄関を広げた分狭くなった個室はウォーク・イン・クロゼットに転用。収納しやすく、容量もアップするようプランニングし、棚やポールを取り付けています。

Q 中古マンションに抵抗はなかった？

知り合いが同じマンションに住んでいて、管理の実情を知ることができ、不安は少なめでした。理想の間取りやインテリアを実現したかったので、新築は候補から外れました。

Q これから挑戦する人にアドバイスするなら？

インテリアは家具を入れてはじめて完成するものだと思うので、家具のための費用も込みで予算を考えておくといいと思います。家具が空間に合ったものでないと残念ですから。

Q リノベーションで大変だったことは？

すでに暮らしている住まいのリノベーションだったので、1ヶ月の仮住まいが大変。大きくはいじらない部屋に荷物を押し込み、一時預かりサービスも利用して、乗りきりました。

パイプスペースの関係でキッチンの位置は移動できなかったのですが、システムキッチンは一新。「Panasonic」のものです。窓も新たに付けて光を取り入れ、風も通せるように。

Sさん宅の北欧エッセンス

家具や照明など、大きく目立つものだけでなく、「オリゴ」や「ティーマ」など、北欧の器も愛用。カラフルなものが好きなだけあって、色付きものも揃えています。

アルネ・ヤコブセンのデザインによる「スワンチェア」と呼ばれる椅子。形のかわいさもさることながら、座ったときのフィット感も大きな魅力です。

右：スウェーデン・「ボラス」社のファブリックでつくられたクッション。自然モチーフと色づかいが北欧らしいデザインです。左：雑誌で見て一目ぼれした照明は「ルイス・ポールセン」社の「LC シャッターズ」。スリットからもれる光が美しい照明です。

PART 3

北欧リノベーションのお役立ち帳

北欧テイストのリノベーションに心ひかれたら、

知りたいことがたくさん出てきます。

スケジュールは？　メリット＆デメリットは？

依頼先は？　北欧テイストを完成させるには？

そんなお役立ち情報を集めました。

リノベーションのスケジュール

リノベーションがどう進んでいくのか、2つのケースをご紹介。昔からの一般的な手法である、物件を購入してからリノベーションへ進むケースと、リノベーションの依頼先に物件選びからお願いするケース。どちらも一例ですが、リノベーションの進め方の全体像が把握できます。

case 01

物件購入とリノベーション依頼は別々に

Hさん宅（P94〜参照）のケース

2004年〜

ゆっくりと物件探しをはじめる

夫婦双方の実家が近く、長く住んでいて気に入っているエリアで、物件探しを開始。新築マンション、一軒家なども候補に。

*人気のエリアのため、土地代だけでもかなり高く、一軒家は必然的に3階建てに。子どもが小さいうえ、腰痛もちなので不安があり、断念。
*申し込みをした新築マンションがあったが、抽選落ち。シックハウス症候群への不安もあるうえ、予算オーバーでもあったので、ちょっと目が覚め、長男の小学校入学を目標にじっくり探すことを決心。
*途中、長男が認可保育園に入れたこともあり、引っ越しによってその権利を逸しないよう、さらにエリアを狭めて物件探し。

2010年

マンションを絞る

長年物件を探すうち、住みたいエリアで、夫婦双方が納得するマンションは、ひとつのみということが判明。2010年あたりから不動産業者に依頼し、そのマンション限定でちらしを入れるなどしたが、縁がなかった。

*永住する住まいとしてマンション購入を考えていたので、古い物件は候補外に。築10年までで探した。

2012年8月

物件内覧

ある日、自宅に投函されたちらしで、当該のマンションが販売されていることを知る。いちばんに内覧したいと問い合わせるが、すでに3番目なうえ、先の人が購入の意思を示し、契約する方向で動いているという。とりあえず、案内をしてもらい、とても気に入ったが、先客が……。待って待ってやっと出会えた物件が、あと一歩のところで目の前から去っていく。そう思ったら、自然に涙がぽろり。

2012年9月

物件購入が決定

傷心のまま、あきらめていたところ、なんと先客の契約が破談に。形式だけでもと申込書を提出していたので購入の権利が回ってきた！

*リノベーション費用は自己資金で用意したため、ローンは住宅取得費用のみ。長期にわたって探していたこともあり、頭金もたまっていたので、ローン申請はスムーズに進行。

2012年9月
リノベーションの依頼先を決める

知人である、設計士の井田耕市さんの手がけた物件を見て、自分たちの住みたいように仕上げてくれることを確信。最終売買契約の完了を待たず、打ち合わせを開始。

＊不動産業者に紹介された会社は、パンフレットを見ただけで違うと感じ、依頼先は最初から井田さんのみに限定。

2012年10月半ば
打ち合わせ＆見積もりを進める

直接会っての打ち合わせは6回ほど。それ以外にメールでは頻繁にやりとりを。予算は伝えず、やりたいことをすべて盛り込んだ見積もりをもらったところ、予定（250万円）の倍ほどの金額に！　あきらめるところ、施主支給にするところ、DIYするところなどで調整し、約350万で契約。

＊部材、仕上げ材などは井田さんからの提案を受け、OKを出すという形で進行
＊最終的には家具、設計料込みで400万円ほどになった。

2012年11月下旬
物件引き渡し

売り主との最終契約が終わり、マンションがいよいよ自分たちのものに。早くに打ち合わせをはじめていたおかげで、引き渡し後すぐに工事に入り、二重家賃の時期を短く。

2012年11月下旬
工事がはじまる

実際に工事がはじまる前に、近隣にあいさつ。トラブルもよく聞くので、施工業者にまかせず、井田さんといっしょに粗品を持って。これから長く住む場所なので、きっちりと。間取りを大幅に変えるリノベーションではないので、解体工事は少なめ。工事期間も短く、3週間ほどで完了。

2012年12月末
工事終了から、引っ越し、DIY塗装

自分たちですることになっていた塗装を行うべく、物件へ。塗装というのが、壁、床だけでなく、収納部の扉、建具など木部すべてを含むことに気がつき、愕然とする。友人たちの助けも借りるも、一部、終わらないまま引っ越しとなる。結局、年明けに父や義父の手も借り、最終的にはプロにも入ってもらい、仕上げを行うことに。

＊見積もりのなかで大きな額を占めていた塗装部分の予算を節約したわけだが、高いものこそ、やはりプロの力が必要ということを実感。とにかく大変で、自分たちの手でというのは、安易に決断するものではないと気づく（とはいえ、父、義父、友人たちもこの家に愛着をもってくれ、いい思い出に）。

2013年1月
塗装もすべて完了し、快適な新生活がはじまる。

完成！

case 02

物件購入＋リノベーション依頼を一括して

佐野さん宅（P36〜）のケース

2012年3月〜

購入を考えはじめる

マンションを購入するつもりは、まったくなかったが、ある日、同僚から自分たちでも買えるという話を聞き、興味をもった。まずは新築マンションを見学に。予算で購入できる新築は狭くて、マンションに自分の暮らしを合わせなければならないと感じ、魅力を感じなかった。

2012年8月

リノベーションという選択肢を知る

新築という選択はないと思いはじめたころ、中古マンションをリノベーションするという選択肢があることを知る。ネットなどで情報収集を開始。

2012年9月1日

相談会に出かけ、物件探しを開始

最終的な依頼先であるnu（エヌ・ユー）リノベーションの個別相談会に出向く。物件探しからリノベーションまでを一括して依頼できる“ワンストップ”サービス（P113参照）を提供している会社なので、リノベーションに向いたマンションを紹介してもらう。その日のうちに、数軒の中古マンションを内覧。偶然にも内覧に行ったマンション内にnuが以前に手がけた事例があり、見せてもらう。空間が大きく変わることを実感。

＊同時期にほかのワンストップサービスを提供する会社の相談会にも出向いたが、担当者の対応などにおいて、あまりひかれず、その後はnuに絞って、物件探しを続ける。

2012年9月9日

集中的に物件を内覧し、申し込みへ

最初の内覧やリノベーション事例拝見によって、この選択肢に希望をもったので、集中的に物件探しを。なんと、相談会から8日後には、今住んでいる物件に出会い、申し込みを入れた。

＊70平米以上、3方に窓がある、希望の予算内など、条件もばっちり。管理がしっかりされていること、公園の横にあり、窓から桜の木が見えるというのが決め手になって決断。駅からの距離だけ妥協した。

2012年9月中旬〜

ローンを申し込み、設計打ち合わせを開始

値段交渉により、当初より100万円以上安く購入できることに。リノベーション金額を物件費用に組み込んだ住宅ローンを申請しつつ、設計の打ち合わせも開始。

＊リノベーションローンを別途で申請すると金利が高いので、住宅ローンに組み込むことを選択。ワンストップサービスを活用すると、こういう申請に慣れているためロスが少なく、スムーズなのが魅力。

2012年10月8日
初回プランの提案を受ける

内装をすべて取り壊し、ゼロの状態（スケルトン）から間取りを考えるので、どんな暮らしをしたいかなどを伝え、間取りの提案を受ける。3つのプランが上がったなか、いちばん心ひかれたものを選び、さらに要望を伝えて、改良を重ねる。だいたい週に一度のペースで打ち合わせを行った。

2012年10月25日〜11月
間取りが決定し、部材＆機器選定へ

ほぼ間取りが固まったのが10/25。その後は使う機器や内装材を決め込んでいく。デザイナーからの提案はもちろんあるが、せっかく自分だけの空間をつくるのだからと、自らショールームやインテリアショップなど、あちこちに出かけ、システムキッチン、タイル、床材、塗料など、実際に見て決断。

*ローン契約が終わり、11月28日に物件の引き渡し終了。

2012年12月
見積もり＆減額調整

使用予定のすべての部材、機器が決まったところで、見積もり金額がアップ。物件探しの時点で、かかりそうな金額を不動産部門の担当者から聞かされて把握していたので、予算の1割ちょっとのオーバーで済んだ。細かい項目ごとに見積もりが表になっているので、それを見ながら要不要を判断し、2週間かけて減額調整。

2012年12月中旬
工事契約＆工事スタート

着工は12月23日。年末年始をはさむため、本格的な始動は年明けに。大きなトラブルもなく、進行していく。内装すべてを解体し、処分。元の3LDKは陰も形もなくなり、まっさらな空間が出現。フルリノベーションなので工事期間は実働で2ヶ月ほど。

2013年3月上旬
完成見学会〜引き渡し

3/3に、nuにより、これからリノベーションをしたい人のための完成見学会が行われる。その後、微調整＆室内クリーニングを経て、3/10に引き渡し。すぐに引っ越しができ、新生活を開始。

完成！

リノベーション Q&A

「自分も思い通りの空間をつくりたい！」
そんな気持ちになったとき、
多くの人がまず、知りたいと思うような疑問を
「nu（エヌ・ユー）リノベーション」に聞きました。
リノベーションの概要をつかむ、
とっかかりとしてお役立てください。

取材協力・監修／nu（エヌ・ユー）リノベーション

まとめ

自分たちの暮らしをより豊かにするために、“あえて”行うのがリノベーション

“リノベーション”ってなに？

リノベーションは、ここ10数年の間で少しずつ認知されてきた比較的新しい言葉です。元々存在するマンションの一室や一軒家、つまり既存の住宅に手を入れて、新たな価値ある空間に再生することを指します。古くなったものを修繕し、ただ新築のときの状態に近づけることを目標にするリフォームとは発想が違い、そのことを明示するために、登場した言葉といえるでしょう。

「賃貸住宅を退去するときに行う、“現状回復的な作業”＝リフォームと考えるとわかりやすいです。古くなった設備機器やクロス類を取り替え、新築の状態に近づけるのがリフォーム。一方、リノベーションはライフスタイルに合わせて、まったく新しい空間をつくることをいいます。もっとも、ライフスタイルなどを考えず、ただ見た目をモダンなデザインにつくり替えただけのものをリノベーションという人や業者もあり、使う人によって意味合いが異なる傾向にありますね」（nu）。

本書では、元の内装をすべて取り壊し、全面的に空間をつくり替えたものだけでなく、元の間取りの一部、もしくは大半を生かしながらも、自分たちのライフスタイルに合う空間やテイストになるよう手を入れたものも含め、リノベーションと考えて紹介しています。古くなってきて“仕方ないから”取り組むリフォームではなく、自分たちの暮らしをより豊かにするために、“あえて”行う、それがこの本で考えるリノベーションです。

“ワンストップ”サービスってなに？

物件を自分で探して購入し（もしくは元々持っている物件があり）、リノベーションしてくれる業者を見つけて依頼する。これが従来からある、一般的なリノベーションの進め方。

一方、リノベーションの普及にともなって、リノベーション向きの物件探しから、予算の配分方法、予算繰り、そして設計まで、行程のすべてに関して、サポートやアドバイスをしてくれるサービスが登場してきました。一ヶ所の依頼先ですべてをフォローしてもらいながら進められるので、それをワンストップサービスと呼んでいます。

購入を検討している物件で実際につくりたい空間が実現するのか。予算には上限があるなか、購入費用とリノベーション費用をどう配分するのか。また、リノベーション費用を物件購入費用に合算してローンを組みたい場合はどうするのか。こういった問題に対して、スピーディーに的確に答えが得られ、メリットがいろいろあります。

ワンストップサービスを提供するリノベーション会社も増加。またリノベーションを前提とした不動産仲介をメインにし、設計・施工会社と提携しながらリノベーション全般をサポートしてくれる会社も存在します。選択肢も増えてきたので、ワンストップサービスはリノベーションを考えるうえで、ひとつの柱になってきたといえるでしょう。

まとめ
物件探しから、ローンのアドバイスや手続き、設計＆施行まで、リノベーション行程全般のフォローを一括で行ってくれるのが、ワンストップサービス

“スケルトン”ってどういうこと？

リノベーションに関係する本や雑誌を読んでいると、スケルトンという言葉がたびたび登場します。本来は骨格や骨組みという意味の英単語（skeleton）で、リノベーションをするときに使うときは、躯体を示します。つまり、“スケルトン状態にする”というのは、躯体があらわになるまで、壊せる範囲の内装すべてを取り壊した状態にするということ。「“まっさらな箱”と考えてもらうといいと思います。一旦、なにもない空間にするので、元の間取りにとらわれず、自由度の高い住まいづくりができ、本当に依頼主に合った空間になります。また、表層的な改修ではないため、壁裏や床下に隠れていた給排水管をすべて交換できるのも魅力ですね」（nu）。

スケルトンからのリノベーションは大きなメリットがある一方、すべての内装を取り壊すので、解体費、解体した部材の処分費もリノベーション代金に大きくのってくることになります。当然、その分時間がかかるということも理解しておく必要があります。元の間取りや部材を上手に使いながら、賢く予算を抑えてリノベーションをする選択も、もちろん可能です。

まとめ
スケルトンにするということは、まっさらな箱を手に入れるということ。自由度の高いリノベーションが実現

リノベーションの魅力って、なに？

「いちばんの魅力は、自分の好きなように空間がつくれることではないでしょうか？お仕着せの間取りに自分の暮らしを合わせる必要がなくなり、自分の価値観に合った空間で暮らせます」（nu）。

新築のマンションでも間取りの変更ができたり、仕上げの部材が選べたりすることもありますが、あくまでも空間づくりの表層的な部分であることがほとんど。自分たちの暮らしや好きなテイストを見直し、それに合わせて空間づくりができ、そして、ずっとその空間で暮らせることがリノベーションのなによりのメリットです。

好きな場所を選べるというのも、中古マンション＋リノベーションのよさ。地域を限定している場合、そこに建つ新築マンションは決して多くはなく、希望の物件が出るまで待つしかありませんが、すでに存在する中古マンションも視野に入れれば、ぐっと選択肢が広がります。

同じ条件下なら、中古のほうが安いのも大きな点です。内容にもよりますが、リノベーション費用をプラスしても、新築よりも安く住まいを手に入れることが可能です。「新築では住めないような人気エリアに、希望の広さ、条件で住むことができるとしたら、それは中古＋リノベーションを選択する大きなメリットではないでしょうか？」（nu）。

建物そのものを確認したうえで購入できるというのも魅力。新築マンションは、実際の建物のでき上がりを待たずに購入を決断しなければならないことも多いのですが、中古なら購入を検討している実際の部屋に入り、日当たり、風の通り、眺望などをしっかり確認ができます。

あわせて、集合住宅でいちばん大切といわれる管理体制を確認できるのもポイント。住人のモラル、近隣トラブルの有無などを前もって知るすべがあるのは、大きな買い物をするにあたっての安心材料につながります。

まとめ

中古物件を購入してリノベーションをすることの魅力は

- 思い通りの空間をつくることが可能
- 選択肢が増える
- 新築よりも安く手に入る
- 実際の建物、管理状況を確認できる　など

当然、デメリットもありますよね？

中古マンションや中古住宅を購入してリノベーションをすることには、魅力がいっぱいありますが、もちろん、デメリットや問題点も存在します。それが自分や家族にとって、受け入れがたいと感じるなら、リノベーションという選択自体を再考すべきかもしれません。つまり、デメリットを整理することで、自分たちにとって正しい選択をすることにつながるのです。

人によってメリット、デメリットの感じ方も違います。新築の既存の間取りが暮らしやすい人、自分の暮らしに合わないと感じる人。新築マンションの内装をおしゃれと思う人、ペラペラで安っぽいと考える人。すべては人それぞれ。自分や家族の要望、価値観とを照らし合わせての判断が必要です。

「いちばんのデメリットは、『古いマンションはどれくらいもつの？　ずっと住めるの？』という漠然とした不安感ではないでしょうか？　現在築後50年以上のマンションも実際に流通していますし、管理状況次第というのは新築でも同じなんですが、結局は〝不安感〟なんです、問題となるのは」（nu）。

また元々古い分、老朽化によって起こりうる問題が、新築よりも早く訪れるのも事実。リノベーションで自分のできる範囲の給排水管などをすべて替えても、上階や隣の住まい、共有のものなどについては、自分だけではどうすることもできないので、他の住戸からの漏水事故などの確率は、新築よりは高くなることは否定できません。

ほかにも、外観や共有スペースが新築に対して見劣りがある、断熱、防音に対しての意識が新しいものに対して劣る、一括で最新設備を取り入れている新築マンションと同様の設備を求めると高額になってしまうなどもデメリットといえるでしょう。

まとめ

中古物件を購入して
リノベーションをすることのデメリットは、
- **建物の寿命に対して不安を感じる**
- **老朽化問題が早く訪れる**
- **外観・共有スペースに見劣りがある**
- **防音、断熱の効果が劣る傾向にある　など**

リノベーションでできないことって、なに？

自由度が高く、一から間取りを構築できるのがリノベーションの魅力ではありますが、できないことも存在します。それをきちんと把握しておくことが、リノベーションの成功への早道です。

「マンションの場合、体力壁といわれる、建物の構造に関わる壁を抜くことはできません。オープンな空間を求めてリノベーションをすることを考えている場合、抜けない壁の有無はきちんと確認しておく必要があります。また、玄関扉、窓、ベランダなどは共有部分とみなされているので、自分の判断だけで交換することができないので要注意です。管理組合によっては可能な場合もありますが、9割がた無理と思っておいたほうがいいでしょう」(nu)。

また、さらに注意すべきことは、そのマンションの独自のルールの有無。「管理組合による禁止事項など、ローカルルールがあることも。これが意外にも大変な結果を巻き起こすことがあるので、注意が必要です」。例えば、フローリングがNG、水回りの移動が不可などの物件は一定数存在します。ほかにも、電気容量に上限がある、200Vの設備機器が入れられない、エアコンの設置できる場所が限られている、給湯器の移設が不可など、快適な現代生活を送るための妨げとなる制約があることも。

文書化されていない場合もあるので、管理組合に問い合わせて、購入する前に確認しておきましょう。このあたりのやりとり、判断は素人では難しい場合も多いので、リノベーションのプロにあわせてチェックしてもらうのが安心です。

まとめ

体力壁の取り壊しは
絶対に不可。
窓本体や玄関ドアの交換は、
できない可能性が高い。
ほかにも、管理組合の
独自ルールがあるので、
要確認。

リノベーションの依頼先はどうやって決めたらいい？

リノベーションが成功するかどうかの重要な鍵は、もちろんリノベーションを指揮してくれる業者、もしくは設計士選びにかかっているといっても過言ではありません。

設計&施工事例から判断したり、友人、知人から紹介してもらったりしながら依頼相手を絞り込んでいくわけですが、気になる対象が絞り込まれたら、まずはなにより会ってみましょう。最初のコンタクトはメールでも構いません。業者が行っている相談会、説明会に出向いてみるのも一案です。

会ってみて、どんな暮らしがしたいのか、どんなイメージの空間にしたいのか、予算はいくらなのか、まずは要望を伝えることがスタートです。「このときに、きちんと話を聞いてくれる相手なのか、うまく要望を引き出そうとしてくれるのかを見極めることが大切だ

まとめ

こちらの要望を真剣に聞き、
隠された思いまで引き出してくれる。
そんな依頼先が理想。
結局は、人と人のつきあい

リノベーションの予算って、どれくらい用意すればいい？

スケルトンにするか、元の間取りや造作、仕上げ材を生かすか。あたり前ですが、どこまでこだわるかでまったく価格は異なってきます。投げ込みのちらしなどで、驚くほど安い金額で空間が変わるような錯覚をもつ人もいるようですが、それはあくまでも間取りなどはほとんど変えず、安価な部材、仕上げ材を選んだ場合の価格。既存のマンションの内装や間取りに満足できなくてリノベーションを選ぶ人の要望する空間には、その金額ではならないと考えるべきでしょう。

「予算を考えるにあたっては、リノベーションの事例が掲載されている書籍や雑誌を見て、気に入ったものにいくらかかっているかをチェックしてみるという方法が有効です。自分のやりたいことに大体いくらかかるか、ある程度見えてくると思います」（nu）。ホームページを充実させている業者や平米数から割り出せる定額制を設けている業者もありますから、そのあたりで目算をつけておくのも一案。とはいえ、元の条件がひとつひとつ違ううえ、金額に含まれている範囲が統一しにくいのがリノベーション工事なので、あくまでも目安であるという意識も必要です。

まとめ

安価にするための
魔法の方法はないと知っておくべき。
雑誌や本に掲載されている事例で
おおざっぱな予算感を掴もう

と思います」(nu)。

依頼主側の言ったことさえ実現すればいいというような受け身の態度で提案が感じられない場合や、逆に設計側の都合や美意識などを押し付けてくるような姿勢を感じる場合は、あえてそれを望んでいるのでなければ、途中でうまくいかなくなる可能性もあるので、気をつけましょう。

また、会ったときに受ける素直な印象は、とても大事です。設計やデザインに関係ないような気もしてしまいますが、結局は人と人のやり取り。なにより、長く住むことになる住まいをいっしょにつくる相手です。スムーズに会話ができ、話をしていて楽しめる、そんな相手であることは、最終的なでき上がりを左右します。

まとめ

スケジュールや、保証事項、アフターサービス。そして、支払いの時期など、確認してから契約を

依頼を決定する前に確認すべきことは？

リノベーションにかかる期間はその内容や複雑さによって当然違います。この本に登場するお宅でも、プランが決定するまで（設計期間）が1ヶ月ほどのお宅もあれば、半年以上かかっている場合も。施工期間も同様でその差はかなり大きくなります。一般的に個人の設計事務所に依頼する場合は、いわゆるリノベーション会社に比べて、時間がかかる傾向にあります。というわけで、まずはスケジュールを把握することが大切。いつまでに完成する必要があるのか、その逼迫度によっては希望する依頼先にお願いできない可能性も出てきます。

次に、保証事項の確認も忘れずに。先方に悪意がなくても、工事には遅れや事故など、なにかしらのトラブルはつきものです。引き渡し後の不具合なども起こりえます。その場合の責任の所在の範囲や期間、どこまで保証してもらえるのかなど、確認をしておくと安心です。施工業者が火災保険、第三者損害保険に加入しているかもあわせて確認しておきましょう。また、メンテナンス、アフターサービスの有無も依頼を決定する前に知っておきたい事項です。

支払いの方法についてもまちまちなので、確認します。設計・施工ともに行う会社の場合は、その会社に全額を支払うことになりますが、設計会社と施工会社それぞれと契約を結び、それぞれに支払うという場合も。どのタイミングで、何回に分けて支払うかなど、きちんと話し合いましょう。全額を支払った後に、会社が倒産という事例もあります。大きな金額が動くので支払いのタイミングや割合にも気を配るとよいでしょう。

北欧テイストの空間づくりを手助けしてくれる

リノベーションの依頼先リスト

今回登場してくれたお宅を担当した設計士や会社を中心に、
北欧テイストの空間をいっしょにつくり出していける依頼先をご紹介します。

RYO ASO DESIGN OFFICE

http://ryoaso.com

対応地域：関東（遠方の場合は相談）

リノベーションのパイオニアである「ブルースタジオ」で経験を積み、独立。個人のデザインオフィスを立ち上げ、住宅から店舗まで幅広いデザインのリノベーションを中心に活動中。「その建物が元々もっている“よさ”を引き出し、バランスのとれた空間を意識してデザインする」のがポリシー。年月とともに味が生まれ、その味わいが魅力となるような空間づくりが得意。

無垢の木やモルタルの床などを採用し、ラフさが味となるようにプランニングされた事例。

ファロ・デザイン

www.faro-design.co.jp

対応地域：条件が許す限り、限定なし

3人の建築士からなるファロ・デザイン。一軒家だけでなく、店舗、事務所も手がけています。リノベーションの依頼もOK。シンプルななかに素材感を感じさせる、心地のいい空間づくりに定評があります。「北欧テイストを希望されるかたは“木”の質感にこだわることが多いので、持っている家具との相性を考えながら、木の使い方に留意します」。

木の濃淡をたくみに織り交ぜながら、北欧モダンとも、ミッドセンチュリーともいえる空間に。

nu（エヌ・ユー）リノベーション

http://n-u.jp

対応地域：東京、神奈川、千葉、埼玉

物件探しから依頼できるワンストップサービスが強みのリノベーション会社。「依頼主の価値観、暮らしで大切にしていることを引き出してデザインするのがモットー。ヒアリングを大切にし、趣味、好きなテイストはもちろん、起きる時間に至るまで詳細にお話を伺います」。というだけあって、さまざまなテイスト、暮らし方を依頼主に合わせて提案するのが得意。

上・左下：パーケット張りの床が懐かしさとともに、どこか北欧テイストを感じさせます。右下：ヴィンテージの北欧家具に似合うシック空間。

ブルースタジオ

www.bluestudio.jp

対応地域：関東（ただし、地方の実績あり）

リノベーションブームを牽引してきた会社。デザインセンスの高さにはファン多数です。ワンストップサービスもいち早く導入し、お金のこと、将来の暮らしの変化などを考慮しながら、不動産購入からデザインづくりまで全行程をフォローしてくれます。「北欧と一口に言っても幅が広いので、依頼主の北欧がなにをさしているかを共有して、進めていきます」。

左上・下：無垢の床に引き締めカラーの黒を合わせ、北欧のヴィンテージチェアが似合う空間に。右上：白×無垢床の空間は、北欧と好相性。

FILE

www.file-g.com

対応地域：東京近郊及び関西

家具からオーダーキッチン、そしてリノベーションへと、手がけるサービスの幅を広げてきたインテリアショップ。内装だけでなく、家具、照明、カーテンなどまで、トータルなコーディネートを依頼できるのが魅力。女性からの支持が圧倒的に高いのが特長です。「“家にいることがいちばん幸せ”と感じていただける住まいづくりを心がけています」。

上：2LDKをワンルームにし、北欧のデザイン家具や照明が似合う空間に。下：古い味わいを残した、北欧ヴィンテージ家具が似合う一軒家。

FieldGarage Inc.

（フィールドガレージ）

www.fieldgarage.com

対応地域：東京・神奈川・千葉・埼玉
（一部対応外地域あり）

リノベーションに特化した設計事務所。“古い、狭いはNG”という既成概念にとらわれず、ハンデのある家をも依頼主が楽しく、快適に暮らせる提案をしてくれます。「北欧テイストの空間をつくるときは、素材感を大切にしつつ、ベースはシンプルにします。そうすることで北欧家具や雑貨が入ったときに互いに引き立て合い、豊かな空間になります」。

上：インナーテラスをもうけて光を満喫できる間取りに。無垢床の素材感も魅力。左：白い壁が映える、すっきりラインのモダンな空間。

きこりたち

www.kikoritachi.com

対応地域：東京及び関東近郊

店舗、飲食店、住宅と幅広く手がける設計・施工会社。「マリメッコ」の店舗の内装施工を引き受けている会社だけあって、北欧テイストは得意な分野です。「北欧の人たちは自然を暮らしに取り込み、共生しています。そんな暮らし方が都会に住む私たちには必要だと思うので、その視点を盛り込みながら『北欧テイスト』の空間をつくりたいですね」。

白い壁、白木の床をベースにシンプルにデザイン。北欧の名作家具「Yチェア」が映えます。

井田耕市

idakuri@ybb.ne.jp

対応地域：条件が許す限り、限定なし

東京・調布の「手紙舎」、世田谷の「ユヌクレ」など、人気ショップの内装を手がける井田耕市さんは個人で活動する設計士。「でき上がった空間は施主の作品だから」と、ホームページなどで自分の仕事を公開することはしていません。施主の話をしっかり聞くこと、場所を“読み込む”ことで、シンプルながら人の心を魅了するデザインをつくり出します。

P94～のHさん宅。究極的にシンプルなのに、ラインのきれいさ、素材の選び方で魅力的な空間に。

吉デザイン設計事務所

www.kichi-d.com

対応地域：条件が許す限り、限定なし

「無印良品の家」の設計に携わっていた吉川直行さんの設計事務所。茨城県つくば市に拠点を置き、住宅設計を中心に活動。リノベーションの依頼も可能です。「マンションの一室であっても、そのことにとらわれず、まっさらな場所であると考えて挑みます」。シンプルななかにも、変化に富んだ空間をつくり、住み手がワクワクする住まい目指しているそう。

素材選びを慎重にすることが北欧テイストを実現するコツだそう（写真は新築一戸建ての事例）。

リオタデザイン

www.riotadesign.com

対応地域：リノベーションは、埼玉、東京、千葉
（一部対応外地域あり）

フィンランドに留学・就労経験のある関本竜太さんが主宰する設計事務所。北欧テイストの空間づくりが得意ですが、あえてそれを狙っているわけではありません。施主の言葉にならない行間を読み取って設計に生かすようにしています。「北欧らしさを演出するのは家具や照明でもあるので、それが生きるよう建物のデザインを控えめにすることを心がけています」。

一戸建てを2世帯住宅へとリノベーション。内装デザインだけではなく、根本から空間を再構築。

ケーズプロジェクト

www.ks-project.net

対応地域：東京・練馬＆板橋近郊エリア

地域密着型のリフォーム会社。単にお化粧直しをするだけのリフォームではあきたらず、空間を間取りから再構築し、ただ古びていく空間ではなく、将来的に“アンティークになれる”、こだわりのリノベーションにも力を入れています。「北欧テイストの空間をつくるときは自然素材を取り入れ、光を感じられるようにし、シンプルなデザインを心がけます」。

ヘリンボーン張りの床、モルタルの壁など素材づかいが印象的なマンションリノベーションの事例。

スタジオグリーンクラフト

www.s-gcraft.com

対応地域：関東（その他は相談）

新築一戸建て、マンションリノベーションなどを行う設計事務所。居心地よく、楽しく暮らせる住まいを提案するのがコンセプトです。「北欧テイストを要望された場合、表面的なデザインを取り入れるだけでなく、北欧の厳しい自然環境から生まれた、北欧の人たちの暮らしを楽しむ精神のような、根元の部分を設計に盛り込んでいきたいです」。

心地よさ、ぬくもりを感じるシンプル空間（写真は新築一戸建ての事例）。　撮影／新 良太

エイトデザイン

http://eightdesign.jp

対応地域：名古屋市内

名古屋を中心にリノベーションに特化して活動する設計・施工会社。"ちょっと無骨で味のある住まい"をつくるのが得意で、ワクワクする事例を豊富に手がけています。物件探し、資金計画、インテリアコーディネートなどをフォローしてくれるワンストップサービスも魅力。「北欧テイストなら、自然素材、あたたかな色合い、シンプルさなどに留意してデザインしていきます」。

上：直線的なシンプルラインで北欧モダンの家具が似合いそうな雰囲気。下：壁に取り入れた水色やぬくもりある素材感のおかげで北欧テイスト。

アートアンドクラフト

www.a-crafts.co.jp

対応地域：大阪市内と阪神間

（セレクト型リノベーションのみ東京23区でも展開）

いち早くリノベーションに着目した、さきがけの会社のひとつ。"均質化されていない住まい"をコンセプトに、施主らしい空間づくりを目指します。物件探しからフォローしてもらえるワンストップサービスも。「北欧の住まいは、今、人気のラフなスタイルとは対局にあり、抜かりなくデザインされているので、細部までこだわって仕上げていきます」。

上：素朴系北欧テイストをイメージする事例。壁のアールが印象的。下：色やファブリックを取り入れ、どことなく北欧をイメージする空間。

北欧テイストの主役となる

デザイナー＆ブランド

北欧テイストの空間を完成させるには、北欧家具や雑貨は不可欠です。
この本に登場した空間の主役になっていた北欧デザイナーやブランドをまとめてご紹介します。

Alvar Aalto
アルヴァ・アアルト

フィンランドが誇る20世紀を代表する建築家・デザイナー。建築だけでなく、都市計画、家具、雑貨、照明、テキスタイルなど、人と暮らしに関わる多くのものをデザインしている。80年経ってもなお製造が続けられているスツールをはじめ、現在でも現役のロングセラーが多数。その後の北欧デザインだけでなく、世界的な家具デザインに多大な影響を与えている。

a

b
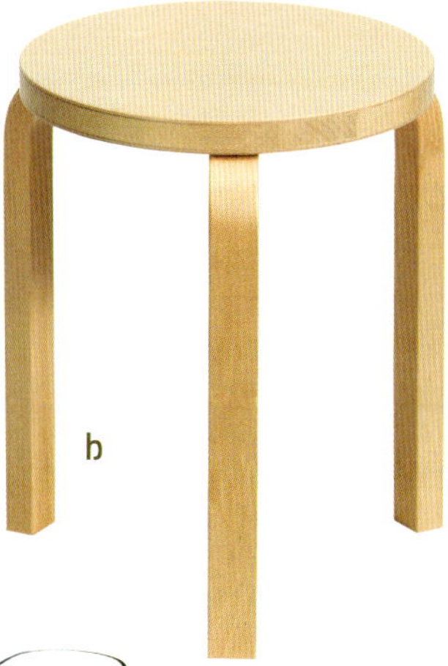

a.「ゴールデンベル」との愛称のペンダントランプ［A330S］
b. アアルトデザインの原点といえるスツール［Stool60］
d.e.f. テキスタイルアイテムも各種あり／アルテック
c. 湖にインスピレーションを受けたガラスベース／スキャンデックス

c

d
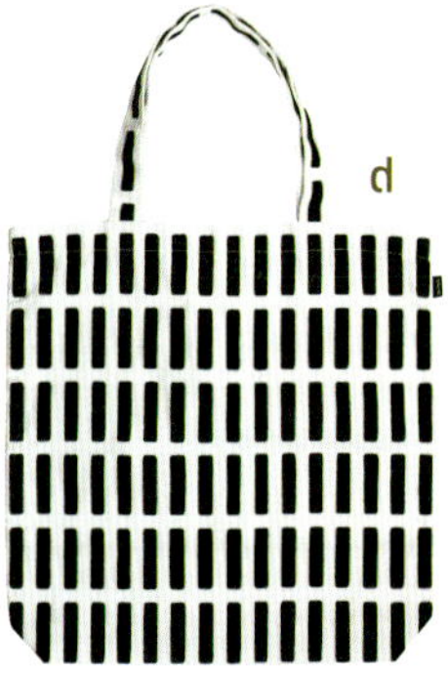

f

e

Arne Jacobsen
アルネ・ヤコブセン

1950年代以降、ミッドセンチュリーの時代に活躍したデンマークの建築家・デザイナー。ホテルや店舗の設計から、その内装に使われる照明、家具、テーブルウェアに至るまで数多くのデザインを残し、今なお、北欧のモダンデザインとして世界的に人気。機能性を重視しながらも、曲線を多用したデザインに遊び心が感じられるあたりが人々を魅了するゆえん。

a.「ロイヤルホテル」のためにデザインされた［AJ Table Lamp］ b.「エッグチェア」の愛称で親しまれる［The EGG］ c.1952年に発表された「アントチェア」／ヤマギワオンラインストア

a

b

c

iittala / ARABIA

イッタラ／アラビア

フィンランドのテーブルウェアブランド。「イッタラ」はガラス工房としてスタートし、現在は陶磁器ブランド「アラビア」などとグループ化。ともに多彩な商品をリリースしている。50年以上のロングセラー品、新進デザイナーのもの、復刻品など注目アイテム多数。

a

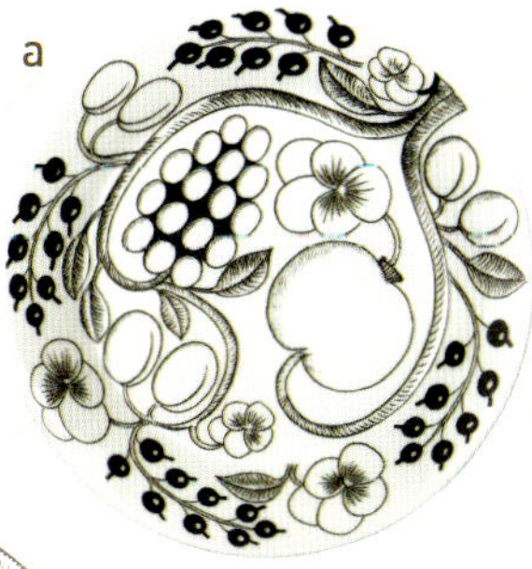

b

c

a.「パラティッシ」は北欧好きの間の人気シリーズ（ブラックは不定期生産）。 b. しずくのような凹凸が美しいデザインの「カステヘルミ」は2010年に復刻。 c. とことんシンプルな「ティーマ」／スキャンデックス

GUSTAVSBERG

グスタフスベリ

1825年創業のスウェーデンの陶磁器ブランド。ヴィンテージの器が注目を集め、とくにスティグ・リンドベリなど、ミッドセンチュリーのデザイナーによる、明るく楽しい個性的な柄の器が人気。復刻品も登場。

a

b

c

a.c.「スピサ・リブ」シリーズ。 b.「アダム」シリーズ。どちらも「グスタフスベリ」の看板デザイナー、スティグ・リンドベリによるもの。1950年代とほぼ変わらない行程で製作されている／北欧、暮らしの道具店

Ilmari Tapiovaara

イルマリ・タピオヴァーラ

フィンランドのデザイナー。フィンランド人らしく、手仕事感や木のぬくもりを感じる家具を多く残している。「ドムスチェア」や写真の「ピルッカ」などが、正規に復刻され、ふたたび、人気を博している。

1955年にデザインされた「ピルッカ」シリーズ／北欧家具 talo

DANSK
ダンスク

デンマークのキッチン＆テーブルウェアのブランド。食器、カトラリー、インテリアアイテムなどを多くリリースしているが、日本でとくに人気があるのが「koben style」シリーズのホーローの鍋。

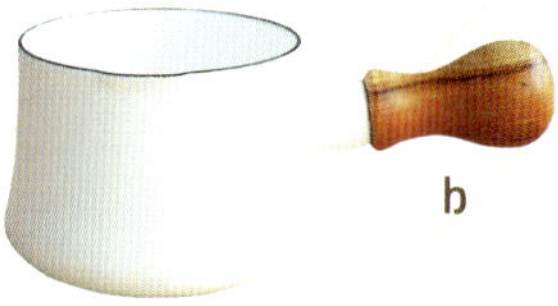

b

a

c

a. 木製の持ち手のぬくもりが北欧らしい片手鍋。 b. 持ち手の丸みが手になじむバターウォーマー。 c. ふたが鍋敷きとしても使える両手鍋／北欧、暮らしの道具店

Borge Mogensen
ボーエ・モーエンセン

ウェグナー、ヤコブセンと並ぶ、デンマークの代表的な家具デザイナーのひとり。庶民目線で、丈夫で実用的かつリーズナブルな家具を多くデザインした。素朴でありながら、機能美ある家具が人をひきつける。

a

b

a. 自宅用にデザインしたといわれる「スパニッシュチェア」 b. シェーカー家具を基にしてデザインされた椅子［J39］／スカンジナビアン・リビング

Hans J Wegner
ハンス・J・ウェグナー

デンマークの家具デザイナー。10代から家具職人として働きはじめ、92年の生涯で500脚以上の椅子をデザインしたといわれている。伝統的な木工技術を取り入れ、木の素材感を生かしたぬくもりあるデザインが日本の暮らしにもよく合い、愛好者が多い。

a

b

a. 「Yチェア」の名で知られる不朽の名作。／ヤマギワオンラインストア b. 木製フレームのシンプルさが魅力［GE2903］／デニッシュ・インテリアス

Marimekko

マリメッコ

大胆な色づかいや個性あるデザインのファブリックで脚光を浴びるフィンランドのライフスタイルブランド。布だけでなく、洋服、テーブルウェアなど、幅広く商品展開。ひとつあるだけでも空間を北欧テイストへと導いてくれるインパクトにファンが多い。

a

c

b

a. ファブリック左から [PEPE]、[AKANKAALI]、[UNIKKO] b. ファブリックと同じ柄を揃えられるマグカップ c. 波という意味の [LAINE] のファブリックを使ったバッグ。

louis poulsen

ルイス・ポールセン

デンマークの照明ブランド。1920年代、デザイナー、ポール・ヘニングセンとともに開発したPHシリーズのランプが高い評価を受ける。以後、機能美あふれる照明を数多く生み出し、北欧の照明を語るには欠かせない存在になっている。

a

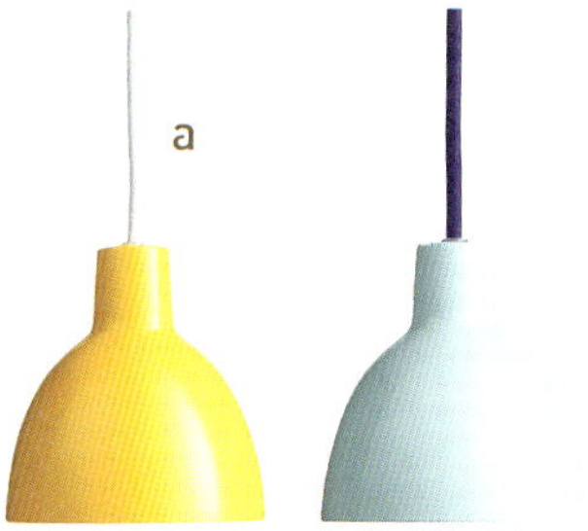

b

c

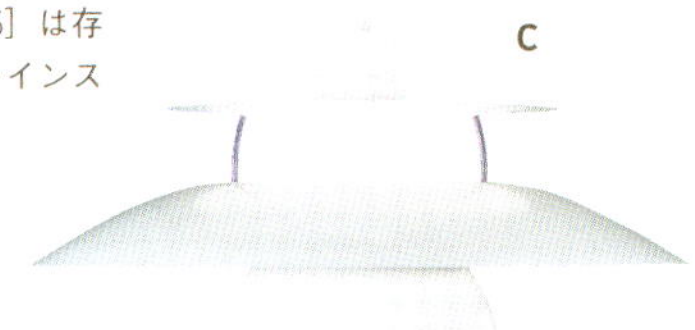

a. シンプルな形状に北欧らしい色合いが魅力 [Toldbod 120] b. 近年、再生産がはじまったランプ [Doo-Wop] c. アイコン的存在のペンダントランプ [PH5] は存在感満点／ヤマギワオンラインストア

Lisa Larson

リサ・ラーソン

愛くるしい動物の陶器のオブジェで有名なスウェーデンの女性陶芸家。1950年代以降グスタフベリ社から多くの作品をリリース。陶芸を離れた雑貨なども登場し、人気の裾野が広がっている。今も現役で活躍。

a

c

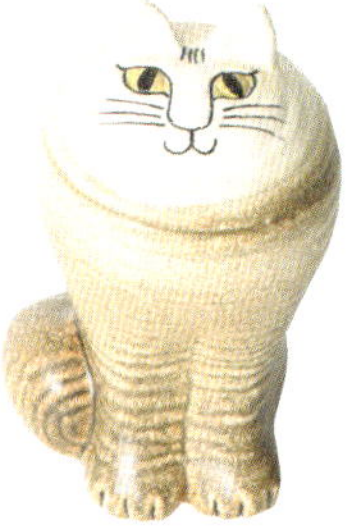

b

a. ハリネズミ（イギー） b. ノース（北国のエスキモー） c. キャット マヤ ブラウン 3種とも陶器のオブジェ。同じモチーフでも手仕上げながらの微妙な差異が魅力。

● 問い合わせ先リスト

アルテック ☎ 03-6427-7468 www.artek.fi
スカンジナビアン・リビング ☎ 03-5789-2885 www.scandinavian.co.jp
スキャンデックス ☎ 03-3543-3453 www.scandex.co.jp
デニッシュ・インテリアス ☎ 053-427-1531 www.danish-interiors.com
トンカチ ☎ 03-5728-5147 http://lisalarson.jp
北欧家具 talo ☎ 0463-80-9700 www.talo.tv
北欧、暮らしの道具店 ☎ 042-577-0486 www.hokuohkurashi.com
マリメッコ ☎ 03-3794-9139 www.marimekko.jp
ヤマギワオンラインストア ☎ 03-5418-9022 shopping.yamagiwa.co.jp

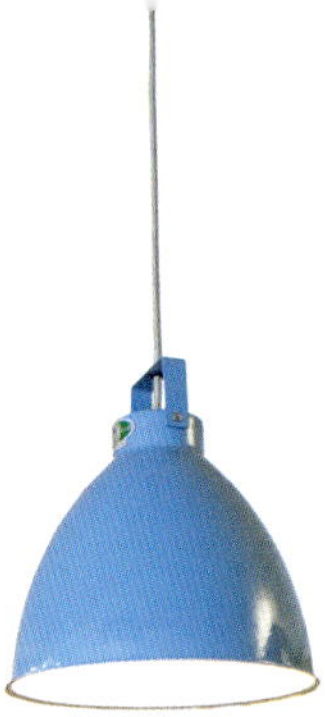

北欧テイストのリノベーション

2014年3月4日　初版第1刷発行
2015年9月5日　　　第2刷発行

編集・文
加藤郷子

デザイン
塚田佳奈（ME&MIRACO）

撮影
西郡友典

間取りイラスト
長岡伸行

企画・編集
及川さえ子（PIE BOOKS編集部）

発行人　三芳寛要
発行元　株式会社パイ インターナショナル
〒170-0005　東京都豊島区南大塚2-32-4
TEL 03-3944-3981　FAX 03-5395-4830
sales@pie.co.jp
編集・制作　PIE BOOKS
印刷・製本　図書印刷株式会社

ISBN978-4-7562-4470-3 C0070
Printed in Japan